Single maar niet alleen

Margarida Rebelo Pinto

Single maar niet alleen

Oorspronkelijke titel *Sei lá*
Oorspronkelijk verschenen bij Oficina do Livro, Lissabon
© 1999 Margarida Rebelo Pinto
© 2004 Nederlandse vertaling Kitty Pouwels en Uitgeverij Sirene,
Amsterdam
Omslagontwerp Studio Eric Wondergem BNO
Foto achterzijde omslag Chris van Houts
Zetwerk Stand By, Nieuwegein
Druk Bercker, Kevelaer
Uitgave in Sirene juni 2004
Alle rechten voorbehouden
Uitgeverij Sirene is een onderdeel van Uitgeverij Maarten Muntinga bv
www.sirene.nl

ISBN 90 5831 315 8
NUR 302

Voor mijn lieve vriend Antonio,
vanwege zijn oneindige genegenheid.

Voor Lourenço,
omdat hij mijn leven een nieuwe betekenis heeft gegeven.

(...) Mensen verklaren zichzelf zelden,
en als ze het doen,
doen ze het slecht.

Eduardo Mendoza in
A cidade dos prodígios

Deel 1
mei 1996

I

'Waar ik het meest van baal is dat ze me niet meer opwinden,' zei Luisa met haar afwezige, vlakke stem, alsof ze er nooit helemaal bij is. We zaten weer eens met z'n vijven bij Mariana thuis te eten en tussen elke twee happen pasta bolognese door stortten we ons voor de verandering op ons lievelingsgerecht: mannen.

'Ze zijn zo dom, de stakkers,' verzuchtte Mariana. 'Echt volslagen imbeciel. Persoonlijk heb ik er het geduld niet meer voor. Het is op.'

Haar toon verried de pijn van haar zelfverkozen eenzaamheid. Die Mariana. Van ons vijf de mooiste, de liefste. Maar ook degene met de meeste pech op het gebied van het sterke geslacht. Teresa was stil, zoals altijd.

'Ze zijn niet imbeciel, Mariana. Alleen een beetje basaal, snap je?' Mijn stem klonk geforceerd, maar ik probeerde er iets van wijze mildheid in te leggen. Niet dat ik mezelf zo'n expert vind, integendeel. Hoe meer jaren verstrijken en hoe meer mannen ik ken, des te minder voel ik me geneigd een mening over ze te ventileren.

'Waarom zitten we hier eigenlijk over mannen te kletsen? Geen van ons is tevreden met de hare, *so what's the point?*'

Teresa had eindelijk besloten zich in het gesprek te mengen, waarschijnlijk om er een eind aan te maken. Maar Mariana begon al aan haar klaagzang.

'Ja, jullie hebben makkelijk praten. Jullie hebben allemaal je eigen trouwe kameraadje met een speeltje tussen z'n benen;

ik zit hier maar af te zien tussen de brokstukken van mijn luchtkastelen, in afwachting van een sprookjesprins.'

'Wie vraagt je om te wachten?' snibde Teresa weer, op een toon van iemand die geen tegenspraak duldt.

En ik zat erbij en keek ernaar. Ik had geen zin om te praten. Ik was de jongste van het groepje en werd altijd behandeld als een troeteldier. Maar de jaren waren voorbijgegaan en als ík al geen ukkie meer was, dan begonnen zij al helemaal op leeftijd te raken. Hoewel ik een diepe bewondering voor ze koesterde, had ik in de loop van de tijd gemerkt dat de tien jaar leeftijdsverschil tussen ons me weinig tot niets hadden bijgebracht. Zij zaten met dezelfde problemen als ik, en vaak nog erger.

'Tja, wat ik al zei,' hernam Luisa, 'waar ik het meest van baal is dat ik mijn geilheid voor Manel totaal kwijt ben.'

'Als ik me niet vergis heb ik je al eens horen zeggen dat het nooit veel is geweest.' Opnieuw Teresa, kattig.

Luisa stak langzaam, heel langzaam een sigaret op, terwijl ze overdacht of ze al dan niet de moeite zou nemen om te antwoorden. Ze blies een lange rookpluim naar het plafond en een stuk of wat kringeltjes, die werden verbroken door de keukenlamp.

'Daardoor ben je het natuurlijk ook kwijtgeraakt,' liet ik me ontvallen. Luisa wierp me een ijzige blik toe en glimlachte.

'Weet je, kleintje, het probleem is dat mannen tegenwoordig volkomen overbodig zijn. Ze onderhouden ons niet meer. Ze beschermen ons niet. Ze weten niks van het huishouden en kunnen in het algemeen niet koken. Vaak zijn wij degenen die hén uiteindelijk onderhouden. Ze begeleiden in hun carrière, baantjes voor ze regelen, ze bij het handje nemen.' Ze inhaleerde diep en gooide haar troef op tafel. 'Behalve in bed hebben we ze nergens voor nodig.'

'Tegenwoordig zijn er legio manieren om dat probleem te verhelpen,' zei Catarina met een schalks lachje. Zij was van ons allen de keurigste. Zo'n zin uit haar mond, daar keken we van op.

'O ja, sluwe tante? Leg mij dan maar eens uit welke, ik geloof dat ik iets heb gemist.' Mariana wachtte op antwoord.

'Weet ik veel, vibrators en zo...' Ze bloosde. 'Kijk me niet zo aan, ik heb nog nooit van m'n leven zo'n ding gezien.'

'Je bedoelt *live*,' zei Teresa, stikkend van de lach. 'Nou, je weet niet wat je mist.'

Ze inhaleerde diep en nam de houding aan van een lerares, pakte Luisa's bril af (Armani-design, gillend duur en schitterend), zette hem op haar spitse, eigenwijze neus en sprak op plechtige toon: 'De vibrator is zonder meer een praktisch, efficiënt en hygiënisch voorwerp, te verkrijgen in speciaalzaken. Het toestel functioneert op batterijen en kost zogezegd geen fluit, en je hebt geen nadelen en wel alle voordelen ervan. Dit wonder van moderne technologie is bovendien – een prettige eigenschap – uiterst draagbaar, en tevredenheid is vrijwel onmiddellijk gegarandeerd.'

'Zeker weten,' verzuchtte ik.

'Het is als een stuk chocoladetaart, met dit voordeel dat je er niet dik van wordt,' concludeerde Teresa terwijl ze Luisa haar bril teruggaf.

'Jij reduceert seks tot het meest basale aspect ervan, het orgasme.'

'Wat is er ook aan zonder dat?'

Daar viel niets tegenin te brengen, vond ik. Ergens had ze toch wel gelijk. Maar Mariana was het er niet mee eens.

'Jee, Teresa, in 's hemelsnaam, meen je dat nou echt? Je klinkt als een man.'

'Heb ik van hen geleerd,' antwoordde ze koel. 'Als zij zich in seksueel opzicht niet zo egoïstisch gedroegen, zou ik ook niet zo in de verdediging gaan.'

'Maar je zegt toch zelf dat João spectaculair is in bed?'

'Ja, waarom denk je anders dat ik hem al zoveel jaar tolereer, ondanks de streken die hij me levert?'

Vanwege het leventje dat hij je biedt, mevrouw de parasiet, dacht ik stilzwijgend. Ik heb haar nog nooit langer dan twee maanden achtereen ergens zien werken. Ze vindt altijd wel een excuus om op te stappen. En maar klagen de hele tijd. João daarentegen is altijd goedgemutst. Met zijn elegante snor en een paar lichtbruine ogen die half Lissabon al hebben veroverd, behoort hij tot het slag mannen dat niets speciaals heeft, maar juist daardoor de vrouwen het hoofd op hol brengt. Hij heeft iets hartveroverends. Misschien is het zijn gevoel voor humor, misschien zijn teint, ik weet het niet. Hij is al tien jaar met Teresa. Niks kinderen, plannen, gesprekken over de toekomst. Ze zijn samen, en dat is dat. Zoals iemand die sinds twintig jaar elke dag gaat ontbijten in de *pastelaria* op de hoek. En nog steeds zal hij in haar huis, waar ze al een eeuwigheid samenwonen, niet de telefoon aannemen, een oeroud beleefdheidsritueel dat hen beiden om mysterieuze redenen bevalt. Teresa voelt zich nog steeds baas in eigen huis en João is een soort visite met een permanent karakter, net als een verstokte voetbalfanaat die een vaste plaats koopt op de centrale tribune.

Luisa had net gebroken met de vierde (of vijfde?) vriend met wie ze een paar maanden had samengewoond. Ze was verliefd op hem, maar toen de roes over was, gaf ze alles op. Nou ja, alles. Het huis is van haar en haar werk als artdirector levert haar meer dan vijfhonderd *conto* per maand op, dus het uit elkaar gaan kwam neer op Manels vertrek. Verhuisdozen aan de deur en we hebben het er niet meer over. Geen sprake van te ondertekenen papieren, alimentatie, kinderen of welke andere banden ook. Luisa was een illusie lichter, wat haar er niet van weerhield om 's avonds alleen uit te gaan en in gezelschap weer thuis te komen. Gewoon, met het gemak waarmee je een ijsje eet. Zonder sentimenteel gedoe of romantische pretenties. Een welbestede nacht, meer niet. Stevig ertegenaan – 't was lekker, toch? En naderhand vergat ze hun namen. Zelfs Manel, een arts met weelderige wenkbrauwen en een discreet voorkomen, was niet meer dan een trofee voor haar verzameling. Soms leek ze wel een man. Ze bracht ons in verwarring, maar ik geloof dat we allemaal wilden zijn als zij, al was het maar voor één nachtje.

Catarina was de enige die een serieus huwelijk had. Twee schatten van kinderen, een schitterend huis aan de Príncipe Real, parketvloer, Miele-keuken, inwonende hulp, alles op z'n ouderwets. Op haar achttiende was ze getrouwd met Bernardo, een toegewijde en liefhebbende echtgenoot die het nooit erg vond om midden in de nacht een luier te verschonen, terwijl hij ondertussen in rap tempo een veelbelovende carrière opbouwde bij de bank. Schijnbaar een juweel van een man, ware het niet dat we hem hadden betrapt in Plateau met meisjes die nog jeugdpuistjes hadden, en tweemaal zijn auto dubbel geparkeerd zagen staan voor de deur van club Elefante Branco. Luisa en Teresa wilden Catarina inlichten, maar Mariana en ik waren ertegen. Arme Catarina. Soms voelde ik wroeging dat ik haar niet de waarheid had verteld, maar in de loop der jaren werd deze leugen deel van onze levens en geen van ons dacht er nog aan. Verbluffend hoe mensen gewend raken aan dingen die ze ooit onacceptabel hebben gevonden. Toen we achter Bernardo's escapades kwamen, belegden we een spoedvergadering. Maar de tijd verstreek en nu was het onderwerp in de vergetelheid geraakt. En wie er in die vergetelheid straffeloos ontkwam was de schurk zelf, dankzij onze passiviteit. Dat maakte het niet minder grappig ons ideale dametje te horen praten over zulke kinky zaken als vibrators. Het keurige meisje dat maar twee vriendjes had gehad en als maagd het huwelijk in ging, dat altijd het beste meisje van de klas was geweest en dat een van de beste studentes zou zijn geworden als ze er niet de brui aan had gegeven, op verzoek van Bernardo 'die haar altijd zo uitgeput tussen de babyflesjes, de luiers en de aantekeningen van Inleiding in de Economie zag zitten.' Catarina stopte midden in het tweede jaar met haar studie en keerde nooit meer terug naar de faculteit. Zonde. Maar ze was gelukkig met haar harmonieuze, geordende leventje, haar kinderen op de Ave-Mariaschool, 's zondagsmiddags naar de mis in de Santoskerk, lunchpartijtjes en verjaardagsfeestjes voor het kleine grut met verrassingstaarten en clowns die meer duur dan leuk waren. En ja, die twee kleintjes zouden toch ook de trots zijn van elke moeder: blonde krullen en blauwe ogen, altijd in bijpassende kleding, veel van Jacadi en Mothercare *that father pays* zonder te morren, als het vrouwtje maar tevreden is en de kindjes er maar goed op staan. Maar Bernardo heeft wel wat. Hij is dan misschien geen heilige, maar hij is superslim en zeer discreet. We wilden Catarina vragen hoe ze eigenlijk aan al die kennis kwam over genoemd speeltje voor seksueel vermaak, maar we hielden ons in. Sommige dingen vraag je niet. Ook al omdat het gebruik van een dergelijk voorwerp door het stel alleen maar kon duiden op echtelijk plezier, en Catarina een opgetogen indruk maakte. Die lepe Bernardo. Hij ging wel vreemd maar liet zich niet onder zijn duiven schieten. Een echte *latin macho* van het soort waar we allemaal de pest aan hebben, maar die we diep in ons hart benijden omdat ze zo uitgekookt zijn en zo'n voorbeeldige indruk maken. Het is niet genoeg om te zíjn, je moet líjken. Dus als je erin slaagt beter te lijken dan je bent, heb je het spel gewonnen.

Het was al laat toen we besloten even naar Bairro Alto te gaan, Luisa en ik, want Catarina moest de kleintjes vroeg naar school brengen en João kwam Teresa ophalen. Mariana was in een slome bui en begon alleen al bij het woord 'uitgaan' te geeuwen.

Ik liet mijn auto bij Mariana voor de deur staan en we gingen verder in de Honda v-tec van Luisa, zwart, spiksplinternieuw en voorzien van schuifdak en cd-speler. Mevrouw zorgt goed voor zichzelf. Ze had zichzelf de auto cadeau gedaan toen haar relatie was stukgelopen. Luisa had besloten dat ze alles wilde in het leven en ze had al een aardig deel van wat ze ambieerde. Ze was het bastaardkind van een Andrade van goede familie en slecht gedrag; haar moeder was de voormalige huishoudster in het huis van Lumiar. Haar grootouders van vaderszijde hadden haar moeder altijd geholpen, maar hun kleinkind nooit helemaal geaccepteerd, waar Luisa diep en terecht van walgde. Misschien was dat wel de reden dat ze tijdens deftige dineetjes altijd met groot genoegen liet vallen dat haar moeder kokkin was, en vol minachting de gegoede jongetjes uit de t-club verslond, die tegen hun vrienden opschepten dat ze een geweldige meid te grazen hadden genomen, zonder dat ze in de gaten hadden dat degene die hen te grazen had genomen, bastaardleeuwin, klaarstond om haar nagels en tanden te scherpen aan vers mannenvlees. Ze was niet eens mooi of bijzonder welgevormd. Maar ze had pit; ze deed precies wat ze wilde en hoe ze het wilde.

Bartis zat halfvol, zoals gewoonlijk op een doordeweekse dag. Stellen van alle seksen, een gemengde fauna van designers tot schilders, een bekende modeontwerper en een stuk of wat mannequins, een filmregisseur op leeftijd, een klein groepje ballen die zich modern voordeden, en de gebruikelijke anonieme massa uit de voorsteden van Lissabon die een zolderkamertje boven een viswinkel in Bairro Alto huurt, zwarte kleren aantrekt en dan denkt tot de artistieke incrowd te behoren. Ik hou niet zo van Bartis, maar het hoort bij het vaste traject en is een van de mindere kwaden als je uitgaat. In feite hou ik steeds minder van uitgaan. In plaats dat je tientallen bekenden tegenkomt, zoals een paar jaar geleden, stuit je op een meerderheid van postmodernisten van de overkant van de rivier en begin je je van lieverlee te voelen als een vis op het droge. En de muziek is ook niet meer wat hij geweest is, er wordt slecht en vreugdeloos gedanst. Maar de verslaving van het uitgaan is sterker, en van Bartis gingen we naar Bar do Rio en vandaar naar т-club, waar de muziek altijd zo'n tien jaar achterloopt op die van de andere discotheken en het publiek kraak noch smaak heeft. Maar er hangt tenminste geen zweetlucht en sommige mannen zien er zowaar níet uit als managers die luisteren naar de naam Victor of Sergio. Luisa stak meteen haar voelsprieten uit en focuste op twee jongens aan de bar. Ze bestelde een gin-tonic en voor mij een coca-cola (van alcohol na middernacht val ik binnen vijf minuten in slaap) en we bleven daar met z'n tweeën zitten kletsen terwijl zij afwisselend gretige en hooghartige blikken uitwisselde met twee exemplaren van het zuiverste Lusitaanse ras, die ons discreet zaten te observeren.

Ik was niet in de stemming. Sinds het uit is met Ricardo heb ik niet eens zin om naar een man te kíjken. Ik ben gesloten voor de balansopmaak, zoals de winkels op 2 januari. Alleen is het al mei en ben ik lichamelijk en geestelijk nog in winterslaap, zonder ook maar de fut voor een babbeltje.

Na een halfuur komt een van hen op ons tafeltje af. Hij kan zijn nervositeit niet verbergen, de stakker. Hij is waarschijnlijk van onze leeftijd, maar ziet eruit als een moederskindje. Ik zie hem zo voor me op een van zijn pappie gekregen motor (je herkent ze direct aan hun laarzen en jack); hij zal wel bij een accountantsbedrijf werken, of misschien is hij advocaat. Zodra hij z'n mond open doet heb ik hem door.

'Mag ik bij jullie komen zitten?'

Ik geef niet eens antwoord. Luisa blaast hem per ongeluk expres een rookpluim in het gezicht en knikt.

'Francisco en ik probeerden jullie namen te raden, en ik dacht, ik vraag het gewoon.'

Luisa en ik wisselen een blik van verstandhouding uit.

'Roep je vriend eens hierheen, hij ziet er leuk uit,' zei Luisa.

Francisco, die er sukkelig en allesbehalve leuk uitziet, staat aan de bar, verborgen achter een glas whisky. Ik wed dat het JB is. Onze boodschappenjongen, die vast Gonçalo of Salvador heet, wenkt met zijn hand en Francisco gehoorzaamt als een goed afgericht hondje.

'Nou, vertel maar eens, hoe heet ik?' daagt Luisa hem uit.

'Vanda misschien.'

'Vanda??? Zie ik er zo plebejisch uit?'

Toevallig is dat inderdaad zo, maar met haar Armani-bril en perfect geknipte haar, onberispelijke lipstick en de kleren die ze draagt, lijkt ze allesbehalve de dochter van een kokkin. Ze heeft zelfs iets chics van haar vader meegekregen.

'Sorry hoor, ik wilde je niet beledigen, maar Francisco vindt dat je eruitziet als iemand die Vanda heet.'

'Hij zit ernaast, ik heet Ana Rita. En mijn vriendin hier heet Sofia.'

'En wat doen jullie?'

'Ik doe vooral bruiloften en doopfeesten,' kwam in me op.

'O, wat leuk, dus je organiseert feesten?'

Hij bijt, de stumper. Nog stommer dan ik al dacht.

'We werken samen. Zij zorgt voor het commerciële gedeelte en ik organiseer de evenementen.'

'Wat leuk! Moeder ook,' zegt hij triomfantelijk.

'Moeder?' vraagt Luisa met een spottend gezicht. 'Welke moeder? De mijne niet in elk geval, al is ze een uitstekend kokkin.'

'Nee,' antwoordt de sufkop die ons zijn naam nog niet onthuld heeft, 'míjn moeder.'

'Aha, dus jouw moeder is ook kokkin, net als de mijne.'

De jongen begint geïrriteerd te raken. Het moet eindelijk tot hem doorgedrongen zijn dat we de draak met hem steken. Francisco heeft nog geen woord uitgebracht, maar ik zie op zijn gezicht de sarcastische uitdrukking van een professionele toeschouwer. Hij is waarschijnlijk minder stom dan de ander, want hij heeft ons allang door.

'Gonçalo knoopt graag praatjes aan met onbekenden,' mompelt hij.

'Bingo!'

Wéér heb ik de naam goed. Ik begin hier een ster in te worden!

'Wat bingo?'

'Niets, niets, ik herinnerde me iets waaraan ik niet eerder had gedacht.'

Dit is zo'n idiote uitspraak dat ik hem graag doe, alleen maar om het gezicht van de mensen te zien als ze het horen. Bovendien is het een prima selectiemiddel: de slimmen lachen en snappen dat het een grapje is. De sukkels krijgen de verwarde uitdrukking op hun gezicht van iemand die iets probeert te interpreteren. Francisco lacht. Gonçalo krijgt de verbijsterde uitdrukking op z'n gezicht. Het is zo klaar als een klontje: de knappe jongen is een complete sukkel en de ander is vast heel slim.

'Kom, laten we gaan dansen.'

En ik ga de dansvloer op om me aan te stellen op de tonen van de Gipsy Kings, waar ik trouwens een hekel aan heb, maar ik heb genoeg van het gesprek en grijp mijn kans. Op de dansvloer probeert de jongen met me te praten, maar ik doe alsof ik niets hoor en hij geeft het op. Onder het dansen kijk ik om me heen. Het uitzicht is bedroevend. Onder al deze mensen is er niet één goed geklede vrouw of één man die het bekijken waard is. Portugese mannen zijn zó lelijk. En alsof dat nog niet genoeg is, weten ze zich ook nog niet te kleden. Glimstofjes en Ralph Laurenshirtjes maken hier de dienst uit. De mensen gaan naar de winkel en kiezen het dufste van het dufste, maar aangezien het mannetje op het paard erop staat, vinden ze zichzelf geweldig. Het gaat om het merk. Verstrooid kijk ik naar het geborduurde symbooltje op het shirt van mijn danspartner. Portugezen: dertien in een dozijn. Kennelijk staan er op de babyafdeling kopieerapparaten, want ze zijn allemaal zo'n beetje hetzelfde.

De muziek gaat over op een langzaam nummer en de jongen klampt zich meteen aan me vast.

'Je bent leuk, jammer dat je niet Sofia heet en geen feesten organiseert.'

Wat krijgen we nou? Kent die vent me?

'Jij bent goed geïnformeerd.'

'Ik ken jou heus wel. Je schrijft voor een blad, ik heb je foto er wel eens in zien staan. Dat ben jíj toch?'

'En als ik je nu eens vertel dat ik vaak word aangezien voor die persoon?'

'Nee, nee, ik heb een goed geheugen voor gezichten. Ik zag meteen dat jij het was, daarom jutte ik Gonçalo op om zichzelf voor schut te zetten en een praatje aan te knopen met jou en je vriendin.'

Ik kijk naar het tafeltje waaraan de twee geanimeerd zitten te praten, afgewisseld met nerveus geschater. Waarschijnlijk zit Luisa te overwegen of ze Gonçalo al dan niet mee naar huis zal nemen, en Gonçalo is al zichtbaar opgewonden. Je ziet het meteen als ze van het ene op het andere been beginnen te huppen. Ze slaan met hun pakje sigaretten op tafel, spelen met de aansteker en zetten het op een drinken, het ene glas na het andere. Dat gaat de verkeerde kant op, en dan zit ik zonder vervoer naar mijn auto. Een van de redenen dat ik altijd het kaartje van Radiotaxi in mijn portemonnee heb.

We gaan terug naar het tafeltje. Luisa is Gonçalo aan het uitleggen hoe ze het heeft gepresteerd om met haar Honda v-tec een u-bocht te maken op de ringweg. Om niet voor haar onder te doen, hangt hij hele verhalen op over zijn wapenfeiten met een of andere CBR. Die twee waren de motor aan het laten warmdraaien. Ik opperde tegen Luisa dat het misschien een mooi tijdstip was om lekker naar huis te gaan, dat het al na tweeën was, maar de jongelui amuseerden zich kostelijk en wilden naar Kapital. We vertrokken samen en die arme Gonçalo kon de verleiding niet weerstaan om zijn BMW op twintig meter afstand te openen om het geraffineerde bliepje van zijn afstandsbediening te laten horen. Het ontbrak er nog maar aan dat hij een onnodig telefoontje pleegde met zijn mobiel, maar op dat uur was er natuurlijk geen mens meer wakker.

Het was een slappe boel in Kapital, maar de muziek was in elk geval fatsoenlijk en de serveersters zijn er leuk en aardig, in tegenstelling tot het bedienend personeel van het type 'rechtop lopende aap' dat karakteristiek is voor ballententen. Ik vind die visnetkostuums en die met Rotring getekende zwarte eyeliners wel grappig. We gaan aan de bar zitten en ik bestel mijn gebruikelijke colaatje. Ik heb geen zin om hier te zijn. Ik ben moe en mijn hoofd blijft maar malen over het interview dat ik morgen moet houden met een van die zakenlieden die plotseling een hype zijn. Het grote probleem is dat ze me op de redactie hebben verzocht er een sympathiek interview van te maken, maar ik moet steeds denken aan alle oplichterijen en twijfelachtige transacties waarvan ik toevallig weet dat hij ze heeft begaan. Een netelige situatie. Misschien heeft hij niet door dat ik dingen weet die hij ongetwijfeld liever geheim wil houden, want ik weet nu al dat ik mijn sceptische blik niet zal kunnen verbergen als hij uitgebreid begint op te scheppen over hoe ontzettend hij het heeft gemaakt. Ik kan me maar beter gedeisd houden, anders heb ik er nog een vijand bij, en Portugal is een te klein land om je die luxe te kunnen veroorloven. Francisco observeert me in stilte terwijl het romantische stelletje elkaar leugens zit te vertellen. Niet te geloven wat een onzin je allemaal uitkraamt na drie uur 's ochtends.

'Als je terugkomt op aarde, geef me dan een seintje.'

'Ik ben moe en morgen heb ik een interview dat ik nog niet heb voorbereid.'

'Ga me nou niet vertellen dat je Clint Eastwood gaat interviewen.'

'Nee, maar toevallig is de persoon in kwestie niet eens een slecht acteur.'

'Ken ik hem?'

'Waarschijnlijk,' antwoord ik, 'het is de zakenman Luis Lopes de Sousa.'

Francisco kent hem niet persoonlijk maar heeft wel eens van hem gehoord; hij blijkt bevriend te zijn met een oom van hem. Fascinerend hoe in Portugal iedereen iedereen van horen zeggen kent en op zijn minst een oom of een neef in de zeventiende graad heeft die met de persoon in kwestie op school heeft gezeten, heeft samengewerkt of hem anderszins kent. Een waar dorp, dit beplante strookje land aan zee. Ricardo, die niets Portugees heeft, had ook hierover een theorie. Hij hield vol dat de ware oorzaak van de mentale verloedering van de Portugezen inteelt was. Als iedereen trouwt met iedereen, krijg je rampzalige kruisingen.

Luisa en Gonçalo zitten nog steeds geanimeerd te kletsen, maar ik heb het gehad voor vanavond.

'Zullen we eens gaan?'

Luisa kijkt me aan alsof ik haar prooi verjaag.

'Nou oké, als je erop staat breng ik je wel naar je auto.'

'Als je wilt breng ik je er wel heen,' valt Francisco in de rede. Het stille muisje kruipt uit zijn schulp.

'Blijven jullie maar, bedankt, ik neem liever een taxi.'

'Natuurlijk niet, wij brengen je,' houdt Gonçalo aan, die wel dommig is, maar ook goed opgevoed.

'Nee, wij gaan met z'n tweeën, samen uit, samen thuis.' Luisa heeft kennelijk op het laatste nippertje besloten dat ze vannacht alleen gaat slapen. Maar Gonçalo, geen kwaaie jongen, staat erop ons dwars door nachtelijk Lissabon te volgen. Luisa dropt me bij mijn auto, waar ik instap zonder afscheid te nemen van het stelletje lullo's dat stilstaat in de BMW in afwachting van ik weet niet wat. Ik hoop niet dat ze het zielige idee krijgen me naar huis te volgen. Maar nee. Gonçalo is uitgestapt en met Luisa gaan praten. Hij speelt zijn laatste kaarten uit, maar volgens mij zonder succes. Schielijk trek ik op zonder om te kijken. Ik heb geen zin om Francisco's gezicht te zien. Ik weet niet waarom, maar volgens mij is hij niet te vertrouwen.

Ik kom thuis. Het is berekoud en ik zet de kachel aan zodat ik hopelijk niet doodvries. Het is al halfvier en ik zou moeten gaan slapen, maar ik heb mijn computer aan laten staan en de tekst waaraan ik was begonnen oefent een onweerstaanbare aantrekkingskracht op me uit. Hij gaat over Ricardo, of beter gezegd over mijn relatie tot hem. Ik kan maar niet begrijpen waarom we uit elkaar zijn gegaan na de geweldigste en meest intense romance van mijn leven. Ricardo was mijn tweelingziel. We konden in alle opzichten goed overweg. Misschien te goed; we isoleerden onszelf van de wereld. We leefden voor elkaar. Ik denk dat dat het was waar onze relatie aan kapotging. Doordat we zozeer dezelfde lucht inademden ontstond er een gebrek aan zuurstof. Maar nu ik weer alleen ben en de eenzaamheid geniet als een luxe, en de vrijheid als een trofee, krijg ik maar niet uit mijn hoofd dat ik de enige man heb laten gaan van wie ik echt hield, volkomen, met lichaam, ziel, hart en hoofd. Waar zou hij nu zijn? Ik heb gehoord dat hij na de breuk is teruggegaan naar Pamplona. Hij heeft geen teken van leven meer gegeven, en dat verwacht ik ook niet meer. Een onvervalste Steenbok: als hij het kwaad uitroeit, is het met wortel en al. Er zijn al zes maanden verstreken. Overmorgen ben ik jarig en ik heb niet eens iets georganiseerd. Voor het eerst sinds lange tijd heb ik geen zin om iemand te zien. Misschien ga ik bij mijn ouders eten, ik zie wel. Maar ik heb ook geen zin om mijn moeder onder ogen te komen, die het niet kan aanzien dat ik zo aanrommel in het leven en die het me onwillekeurig kwalijk neemt dat ik alleen woon, verschillende vriendjes heb gehad zonder met een ervan te zijn getrouwd, en haar niet nog wat kleinkinderen bezorg voor de familiegalerij. Ik heb het geprobeerd, mam, maar het is niks geworden, sorry.

Om vijf uur 's ochtends schakel ik de computer uit en zet een kopje melissethee om beter te kunnen slapen. Morgen is er weer een dag, en deze was niet eens zo slecht. Voor het inslapen stel ik me nog het gezicht van Gonçalo voor als hij Luisa's appartement, een en al modern design, binnenkomt; hij die sinds zijn geboorte vast alleen maar bloemetjesbanken en zalmkleurige gordijnen heeft gezien. Ik droom over Luisa die schaterlachend aardbeienyoghurt over hem uitschenkt. Ze zitten getweeën in een gigantische badkuip vol schuim en vragen me om hun handdoeken te gaan halen. Achter in de ruimte zit Francisco op een houten bankje toe te kijken.

II

Vijf minuten te laat kom ik aan bij het kantoor van degene die ik ga interviewen. Het is op de dertiende verdieping in een van de torens van Amoreiras: marmeren vloeren en met donker hout betimmerde wanden, een enorme receptie en een receptioniste met het uiterlijk van een Anita waarop een glimlach zit geplakt. Ik zie eruit als een zombie en een basismake-up verricht geen wonderen. Voor het stoplicht heb ik de wallen onder mijn ogen nog een beetje weggewerkt, maar meer kan ik er vandaag niet van maken. Die Anita van de receptie, die vast een halfuur voor de spiegel heeft gezeten voor ze de deur uit ging, neemt me geringschattend op. Als ik me aanmeld, belt ze via de intercom en informeert *dona* Carlota dat ik er ben. Ik zie haar al voor me: in laagjes geknipt haar met highlights, een blouse van Fil-à-Fil, veel goud om haar hals en een lading armbandjes, merkhorloge, kokerrokje en klassieke schoenen. Enkele minuten later verschijnt de betreffende dame bij de receptie. Bingo. Precies wat ik dacht, alleen zit haar haar beter, in elk geval zonder highlights.

'Meneer *doutor* verwacht u.'

Door de gangen voert ze me naar een kamer met een lange vergadertafel erin en verzoekt me om plaats te nemen. Ik kies het hoofdeinde. Door een deur die op een kiertje staat hoor ik de stem van Luís Lopes de Sousa aan de telefoon.

'Ja, liefje, ik zei toch ja. Ja, liefje, we kunnen wel naar Courchevel gaan. Ja, liefje, bespreek alles maar, dan kijk ik zo meteen of het gaat lukken of niet. Goed, goed. Ik kom wel wat later. Misschien moet ik gaan dineren met de Duitsers.' Stilte. 'Ja inderdaad, ontzettend vervelend, maar het kan niet anders. Ik kom niet laat thuis, wees maar gerust. Goed, liefje, blijf maar niet op voor mij. Goed, goed, ik maak geen lawaai als je al ligt te slapen. Dag liefje, tot straks.'

En hij legt neer. Ik hoop dat hij zo komt, want er ligt nog werk te wachten op de redactie en het is al halftwaalf. Maar de telefoon gaat opnieuw.

'Hee, duifje, alles goed?' Zijn toon is heel anders. 'En, wil je nog gaan eten in Guincho? Maar alleen in restaurant Furnas, want in Monte-Mar loop ik mijn schoonouders tegen het lijf. Waarom kom je niet om vijf uur hierheen? Goed, dan wacht ik je op in de garage. Ja, op de gebruikelijke plek. Trek maar iets leuks aan, ik zie je graag mooi uitgedost. Wát wil je kopen? Nog een? Maar je hebt dit jaar al drie Vuitton-koffertjes gekocht... Oké, we zien wel. Tot straks, Bibinha, daag.'

Oké. Luís Lopes de Sousa is niet alleen zakelijk een oplichter, hij gaat ook nog eens vreemd. Dikke kans dat ik erachter kom wie die Bibinha is. Bibinha heet waarschijnlijk Isabel of anders Barbara, en daar heb je er niet zo veel van. Eindelijk verwaardigt Zijne Excellentie zich naar me toe te komen. Donker pak, donkerblauw overhemd, das met beestjes erop. Het soort kleding dat dit soort heerschappen prachtig vindt.

'Goedemorgen, sorry dat ik u heb laten wachten. Wilt u een kopje koffie, of iets anders...'

'Alleen een glaasje water, graag.'

Hij pakt de intercom.

'Carlota, breng even een glaasje water voor mevrouw.' Hij slaat een geaffecteerde, barse toon aan. Zijn uiterlijk bevalt me niet. Hij is donker, klein van stuk, mager en ziet er een beetje vettig uit. Hij walmt naar parfum. Om zijn smalle, harige polsen draagt hij een vreselijk poenige Rolex en manchetknopen. Wat een type! Hij vindt zichzelf overduidelijk het einde. Dit soort idioten vergt een engelengeduld.

Na een uitnodiging voor de lunch te hebben afgeslagen ga ik terug naar de redactie. Van tweeën één: óf hij wilde alleen maar zien of ik zijn charmes zou kunnen weerstaan, en in dat geval had hij geluk; óf hij wilde echt wat. Dit is niet de eerste of de laatste keer dat me dat overkomt. De mensen begrijpen niet dat mijn vriendelijkheid er alleen maar op gericht is om ze aan de praat te krijgen, dat ze me verder steenkoud laten en ik alleen maar mijn werk wil doen. Eén wat aardiger glimlachje en ze denken dat ze je in hun zak hebben. Ik heb echt geen geduld voor lulletjes. Hij begon me sterke verhalen te vertellen over zijn successen in diverse zaken. Weet hij veel dat ik zijn hele levensloop al ken. Als ik Portugese arbeiders voor een schijntje in Duitsland liet werken, had ik ook al een villa in Quinta da Marinha. Of twee. Om nog maar te zwijgen over zijn ietwat duistere zaakjes in Macau, gerelateerd aan gokkerij en andere frivole activiteiten waarover niets zwart op wit staat. Toen ik begon als journaliste, dacht ik in mijn naïviteit dat ik onthullingen zou doen en over interessante feiten zou berichten, dingen aan het licht zou brengen die de gewone sterveling niet te zien krijgt. Nu weet ik wel beter. Ik word betaald om te schrijven wat de mensen willen lezen. In het beste geval, want meestal word ik betaald om mijn mond te houden. En ik speel het spelletje mee. Maar toch hou ik van mijn werk. In elk geval schrijf ik, en als ik niets meer te zeggen heb, dik ik het wat aan. Het is echt ongelooflijk hoe dol mijn interviewklanten zijn op de stukken die ik erbij verzin. Als ze bellen om me te bedanken, halen ze altijd een of andere geliefde paragraaf aan, en dat is dan precies het gedeelte waarin ik mijn fantasie de vrije loop laat en er met mijn pen achteraan hol om het vereiste aantal regels vol te krijgen. Of ze dat al dan niet doorhebben interesseert me niet. Zo zijn we allemaal tevreden, en de mensen moeten zichzelf met plezier herkennen in wat ze lezen, zegt Paulo, mijn eindredacteur. Hij zit al van jongs af aan in de bladen en met dit tijdschrift heeft hij de ideale verkoopformule voor Portugal gevonden: schrijven over mensen die hij kent, met klinkende namen, van goede of gegoede families, waarbij alle mogelijke banaliteiten worden vermeld zonder ooit een moeilijk, controversieel of minder aangenaam onderwerp aan te snijden. Hetgeen van mij veeleer een schoonheidsconsulente van publieke figuren maakt dan een journaliste; ik ben de hele tijd reputaties aan het zuiveren en wezens aan het optuigen die in de ogen van de wereld bar lelijk zouden zijn als de naakte waarheid over hen aan het licht kwam.

Het is al laat als ik de tekst over Luís Lopes de Sousa af heb. Ik heb zin er een satirische kop boven te zetten, maar dat zou problemen geven. Paulo zou het niet kunnen waarderen. Zoiets als: 'Het toppunt van platvloersheid', of 'Gevoel voor zaken'. Dat zou prachtig zijn. Ik bedwing me en maak ervan: 'Een verhaal om te vertellen'. Absoluut nietszeggend, maar je kunt je er geen buil aan vallen.

Tegen negen uur kom ik thuis. Ik had kunnen gaan eten met Francisco, die me stond op te wachten toen ik het kantoor uitkwam, maar ik had geen zin. Dus Luisa heeft hem zonder het me te vragen mijn telefoonnummer gegeven; ik zál haar. Ik heb hem gezegd dat ik vanavond moest werken, een tekst moest afmaken. Niets is minder waar. Ik heb alleen maar zin om te eten, voor de tv te hangen en te slapen. Het huis lijkt groter nu en de atmosfeer lichter sinds Ricardo weg is. Alleen heeft de eenzaamheid nu een andere smaak, soms verrukkelijk, soms heel bitter...

Ik ben er helemaal op ingesteld om rustig een *bacalhau à Braz* uit de diepvries te verorberen in het vrolijke gezelschap van een colaatje en afgemaakt met een flan-puddinkje uit een plastic bakje, als de telefoon gaat. Het is mijn neef Zé Miguel, die me uitnodigt om ergens te gaan eten. Ik ben helemaal op, maar toch neem ik de uitnodiging van harte aan. Er zijn maar weinig mensen wier gezelschap ik zo prettig vind als dat van mijn neef. Wat vind je van Casanostra, stelt hij voor. Wat mij betreft zou ik liever naar de japanner gaan. Ik heb namelijk de hele dag voor de computer gezeten en heb er spleetogen van. Zé Miguel lacht, niet omdat ik zo grappig ben, maar omdat hij mijn flauwiteiten zo leuk vindt. Nou, dan gaan we daarheen. Wie er het eerst is, zoekt een plaatsje uit.

Met de nodige moeite en fantasie weet ik mijn auto te parkeren en ik arriveer voor Zé Miguel in het restaurant. Ik kies een van de rustige tafeltjes in een half afgezonderd kamertje, van de andere gescheiden door gordijnen. Even later komt Zé Miguel binnen, met zijn haar door de war en zijn das scheef, zoals gewoonlijk. Hij ziet er altijd wat rommelig uit, hetgeen hem zeer flatteert. Al jaren gebruikt hij hetzelfde parfum, Monsieur de Givenchy, dat hem onweerstaanbaar maakt. Het is een lekker ding, die neef van me, die als een broer voor me is. Over een maand gaat hij terug naar Seattle, waar hij bij Boeing werkt als manager voor de Europese markt. Als hij in Portugal komt, voelt hij zich als een pionier uit Star Trek die per ongeluk is beland in een film van Beatriz Costa uit het stomme tijdperk. Hij vindt alles pittoresk, gemoedelijk, grappig. Hij is een toerist tegen wil en dank en een yuppie van de puurste soort, met alle kwaliteiten en gebreken daaraan verbonden. Met wat hij per maand verdient zou ik mijn Golf CL 1.4 kunnen inruilen voor een cabriolet, maar dat zou je niet zeggen als je hem ziet. Hij ziet er discreet uit en zelfs de Bosspakken die hij draagt verbergen goed wat ze hebben gekost.

'Wat ziet mijn nichtje er weer beeldig uit,' merkt hij vol genegenheid op terwijl hij me een wangzoentje geeft.

Zé Miguel is uitstekend voor mijn ego. Voor hem ben ik altijd beeldig, al heb ik krulspelden in of een komkommermasker op mijn ogen. Het is dwangmatige behaagzucht, hij kan de verleiding niet weerstaan om iedere vrouw het hof te maken. Zelfs zijn eigen moeder. Zodoende heb ik heel wat vriendinnen van me in de val zien lopen. Luisa. Mariana ook. Met

Luisa was het niet zo erg. Ze hebben elkaar als wilde beesten verslonden en toen ze hun buik vol hadden, ging elk zijns weegs. Met Mariana was het erger. Ze werd verliefd en was helemaal buiten zinnen. Een hele winter lang bleef ze maar naar Seattle bellen en toen Zé Miguel in de paasvakantie overkwam en haar vriendelijk vertelde dat het uit was, raakte ze in een depressie. Aan mij de taak haar tranen te drogen en haar koelkast te vullen met troostvoedsel zodat de ziel niet omkwam van de honger. Ik ben er nog drie nachten blijven slapen uit angst om haar alleen te laten. Ze was er helemaal kapot van. Het ging wel over, maar tot op de dag van vandaag betrekt haar gezicht als je het over Zé Miguel hebt. En heimelijk kan ze het niet verkroppen dat Luisa een romance met hem heeft gehad. Voor Luisa was het gewoon het zoveelste avontuurtje waar ze goede herinneringen aan bewaart, want Zé Miguel bezit de zeldzame gave om bevriend te blijven met de vrouwen met wie hij slaapt, en als er iets is wat Luisa kan waarderen is het een goede vriend.

We bestellen hetzelfde als altijd, sushi en sashimi met saké erbij. Ik drink zelden, maar vandaag heb ik er zin in. Ik wil vergeten dat ik morgen jarig ben en dat Ricardo niet hier is om het met me te vieren. Zé Miguel praat maar door over zijn nieuwe vriendinnetjes, die hij verzamelt alsof het vlinders zijn. Deze week is hij al met drie verschillende op stap geweest. Als hij een willekeurige andere vent was, zou dit geklets me razend maken. Maar Zé Miguel vergeef ik alles. Op zeker moment vraagt hij me of ik nog iets van Ricardo heb gehoord. Niets, antwoord ik laconiek. Zé Miguel aait me over mijn bol. Waarschijnlijk is mijn blik versomberd en zelfs de saké krijgt me niet vrolijk. Om me niet nog rotter te voelen, probeer ik het onderwerp een andere wending te geven.

'Weet je, hij wilde weg en dus is hij gegaan, dat neem ik hem niet kwalijk. Nadat de passie was bekoeld, leek er tussen ons geen begrip meer mogelijk. We waren altijd aan het ruziemaken, altijd boos op elkaar. En daarbij heeft hij nooit moeite gedaan om een goede relatie op te bouwen met mijn vrienden. Hij zat de hele tijd op alles en iedereen te hakken. Het ergste is dat ik na hem geen man meer kan zien. Ik heb een allergie opgelopen voor de mannelijke soort.'

Zé Miguel kijkt me diep medelijdend aan, alsof ik hem heb verteld dat ik last heb van zemelenuitslag.

'Ach, arm nichtje van me,' zegt hij met alle begrip van de wereld.

'Hou op, zeg, drijf me niet de depressie in, want morgen ben ik jarig en ik heb geen zin in een rotdag.'

En we gaan weer over op Zé Miguels favoriete onderwerp: vriendinnetjes.

Ik ga vroeg naar huis. Zé Miguel kon het niet laten om na het eten nog even langs te gaan bij een vriendin en ik vind het best; zo kan ik bijslapen. Ik ben nog moe van gisteravond. En Francisco, zou die nog bellen? Ik hoop het niet. Ik wil rust en vrede, chocolaatjes en vrienden. Ik voel me goed zo, of tenminste zo goed als mogelijk binnen de omstandigheden. En toch is er iets in hem wat me aantrekt. Waarschijnlijk de fatale aantrekkingskracht die vrouwen voelen voor klootzakken. Dat geldt voor ons allemaal. Het verschil is dat sommigen er makkelijker voor vallen dan anderen. Ik moet oppassen. Na de geschiedenis met Ricardo moet ik me niet laten meeslepen door de eerste de beste idioot. Laat staan een van het uitgekookte type, zoals Francisco. In elk geval biedt mijn dekbed troost. Helemaal van witte broderie en zorgvuldig ingestopt – want Virginia weet wat ze doet – ligt het daar op me te wachten, trouw en stil. Ik begin het heilige ritueel van de huidverzorging: reinigingscrème, tonic, vochtinbrengende crème. De drie nachtelijke handelingen die ik al jaren steevast verricht. Ineens zie ik het beeld van Ricardo achter me in de spiegel. Hij omvat mijn middel en fluistert: 'Mijn *cariño* is dol op crème.' We spraken altijd Spaans, hetgeen aardig wat vergt van een

Bask, ongeveer net zoveel als het van een anglicaan zou vragen om zich te bekeren tot het katholicisme. Snel ga ik de badkamer uit om de herinnering op afstand te houden. Genoeg, nu slapen, niet meer aan denken. Ik droom dat ik op een oogverblindend groen weiland ruziemaak met Ricardo, terwijl Zé Miguel in de verte rent, gekleed als bijenhouder en achtervolgd door een zwerm reuzenvlinders in alle kleuren, die onder luid gezoem veranderen in dreigende hommels...

III

Ik heb tegen niemand bij het tijdschrift gezegd dat ik jarig ben, maar dat vervloekte boeket en een serie telefoontjes hebben me verraden. Nu is het kusjes hier en felicitaties daar. Meteen vanochtend belden mijn moeder en mijn tante, de moeder van Zé Miguel. Vervolgens Luisa, de vleesgeworden organisatie. De bloemen kwamen niet uit Baskenland. Ze waren van die sul van een Francisco, met een bijdehand kaartje erbij. Ik zou weleens willen weten hoe hij weet dat het mijn verjaardag is. Vast Luisa die het hem verteld heeft. Paulo komt me feliciteren en vraagt me het eerste katern na te kijken. Aangezien ik slecht ben in het opsporen van drukfouten, sta ik op en lees elk woord hardop, waarbij ik nauwkeurig elke lettergreep spel op jacht naar fouten. Ik sluit mezelf op in de vergaderzaal om rust te hebben, maar Odete blijft maar telefoontjes doorverbinden. Odete is de ware telefoniste. Haar haar zit altijd onberispelijk, want ze bezoekt tweemaal per week haar tantes kapsalon in Feijó, waar ze bij haar ouders woont; nagels die variëren van roze tot bloedrood of oranje, overeenkomstig het seizoen. Kleding die getuigt van buitengewone fantasie en creativiteit: pakjes in blauw met groen of rood met geel. Veel armbanden en ringen, nep- en echt goud handig door elkaar gehusseld, op zo'n manier dat een minder oplettende persoon zou denken dat ze uit een familie van goudsmeden komt. En dan te bedenken dat ze iedere dag het openbaar vervoer neemt: eerst de tram naar de boot, dan de pont en vervolgens de bus naar het kantoor. Het is een goed

kind. Ze werkt al bij Paulo sinds hij met het maken van tijdschriften begon en hoort bij de inboedel. Ze kent de jetset al
zo goed dat ze over iedereen praat alsof ze bij hen in de klas
heeft gezeten. Laatst kwam er hier zo'n alom bekende tante
om de foto's bij het interview te bekijken. Odete breed naar
haar glimlachen; ze gaf haar alleen geen zoen omdat de dame
het gevaar zag naderen en op tijd wegdook.

Het rotte is dat ik uitgeput wakker ben geworden, met een
levensgroot hol gevoel, na de hele nacht in mijn dromen te
hebben geruzied met Ricardo. Overdag doe ik mijn best – en
met redelijk succes – om er niet aan te denken, maar 's nachts
neemt het onderbewuste wraak. Terecht zegt Miguel Esteves
Cardoso dat dromen de kleine boodschap van de hersenen
zijn. Of misschien is de slaap een tweede leven. Waarom anders brengt de mensheid een derde van haar leven slapend
door? Als het alleen was om uit te rusten, hadden we waarschijnlijk genoeg aan minder uren. Dat zal wel de reden zijn
dat ouderen minder slapen. Ze hebben het niet nodig om
méér te leven. Soms denk ik dat ik een oud dametje zal worden zonder leuke kleinkinderen om mijn avonturen aan te
vertellen. En meteen schiet me dan oma Helena te binnen,
haar gulle lach en haar stem als van een achttienjarig meisje,
zelfs toen ze al eenentachtig was...

Het is kort na het middaguur als Antonio me belt, mijn
oudste vriend, zoals ik hem graag noem. Hij is al dik in de
zestig, maar de jaren zijn niet in zijn ziel gekropen. Hij maakt
nog steeds alle mooie meisjes die hij kent het hof, en soms met
behoorlijk veel succes. Het feit dat hij een schilder van naam
is helpt hem bij zijn veroveringen, iets wat hij zogenaamd niet
doorheeft. Hij vergeet nooit mijn verjaardag. Omdat we elkaar in geen maanden hebben gesproken, vraagt hij naar 'de
Bask'. Ik leg hem in het kort uit dat Ricardo niet meer in Portugal is en waarom niet. Antonio troost me.

'Ach, vergeet hem, je kunt altijd nog mijn vriendinnetje
worden.'

, Ik zou er niet eens bezwaar tegen hebben; alleen kan ik voor oudere mannen niets anders voelen dan een platonische, aangename vriendschap, waarin seksuele onthouding een must is.

Kort daarna belt Catarina me om een lunch met het hele groepje af te spreken. Dat wordt weer een dameskransje in de vorm van groepstherapie, maar goed, het is immers mijn verjaardag, ik moet me op z'n minst proberen te amuseren.

Voor ik in mijn auto stap, zie ik een papiertje achter de rechter ruitenwisser. 'Goeiemorgen, spetter. Ik kom eind van de middag terug om ergens wat te gaan drinken, oké? Was getekend F.' Ik ben de klos. Een horzel is mijn leven binnengekomen. Ik zal zo'n ongediertebestrijder uit de gouden gids erbij moeten halen. Werkt die jongen dan niet? Vandaag had hij ook al de tijd om naar de bloemist te gaan en naar Campo de Ourique te komen. Ineens voel ik me bespioneerd. Ik stap gauw in en start zo snel ik kan.

We gaan lunchen bij de haven. Teresa en Mariana zijn er al. Catarina, die ik bij haar voordeur heb opgepikt, is terneergeslagen, maar in de auto praatte ze er overheen. Ze begon zo omstandig uit te weiden over de kinderen dat ik begreep dat er mot was geweest met Bernardo. We nemen plaats aan een tafeltje op het terras, tot mijn genoegen, want ik vermaak me kostelijk met het voorbijsjokkende vee. Mannen die eruitzien als zakenlieden in hun donkere pak met het donkerblauwe overhemd dat dit jaar de rage is, en de meest uitzinnige dassen die je je maar kunt voorstellen. Slechte smaak kent geen grenzen. Het staat vast, Portugezen kunnen niet beweren dat ze lang zijn: het is een en al onderkruipsel.

De kletskousen zitten al te babbelen, maar ik houd me afzijdig, ik heb geen zin om deel te nemen aan de discussie. Luisa geeft me een sjaal van Hermès die het drievoudige kost van wat ik er ooit voor had gegeven. Teresa heeft gekozen voor een boek van Gabriel García Márquez en Mariana geeft me een werkelijk schitterend leren dagboek vol witte blaadjes. Je moet jezelf wat gezelschap houden, zegt ze zachtjes tegen me. Ze heeft in mijn ziel gekeken en alleen al daardoor mijn dag gered. Maar de situatie wordt ingewikkeld als ik merk dat ze van plan zijn om vanavond bij Catarina thuis een dineetje te organiseren, en dat terwijl ik had beloofd bij mijn familie te gaan eten. Ik leg hun uit dat ik niet kan en beloof ten slotte na afloop van het vermaledijde familiemaal langs te komen. Eigenlijk heb ik geen zin om naar het huis van mijn moeder te gaan. Ik verafschuw de verpletterend trefzekere manier waarop ze blootlegt wat er in me omgaat. 'Meisje, als je zelf moeder bent, zul je begrijpen dat je altijd weet wat er met je kinderen aan de hand is,' antwoordt ze altijd als ik haar beschuldig van een overdaad aan psychologische scherpzinnigheid. Ik zie me daar aan tafel zitten, pratend over van alles en nog wat om maar niet onderbroken te worden, tot het moment van de waarheid aanbreekt en de depressie, de Bask en aanverwante onderwerpen op ons bordje vallen – of met een beetje geluk in de chocolademousse.

De wijn bij de lunch is me enigszins naar het hoofd gestegen, ook al omdat de kipsalade meer sla dan kip bevatte en er niet genoeg suiker in de sinaasappeltaart daarna zat om het effect van de alcohol te neutraliseren. Het is een mooie dag vol zonneschijn, dus ik rijd met open raam naar kantoor. Misschien vraag ik Paulo om me vanmiddag vrij te geven en ga ik wat inkopen doen in Amoreiras. Al jaren heb ik de vaste gewoonte mezelf op 13 mei een cadeautje te geven. Toen ik klein was en 's avonds bad, vroeg ik het kindje Jezus altijd om een verrassing. Jaren en jaren gingen voorbij met vruchteloos vragen, want een wens doen op de dag van Onze-Lieve-Vrouw van Fátima is net zoiets als op de eerste zondag van augustus een duik willen nemen bij Caparica. Altijd was de hemelse administratie overbelast, een voortdurend spitsuur. Twee jaar geleden echter moet iemand daarboven een van mijn aanvragen hebben gevonden, vergeeld door de jaren en versleten door de luchtstromen, met een muf geurtje van de wolken en de uitlaatgassen van de vliegtuigen. En daar kwam mijn cadeautje regelrecht uit de lucht gevallen, toen ik op de dertiende mei naar het vliegveld ging om Jorge Amado op te halen voor een interview. Het vliegtuig had een tussenlanding gemaakt in Pamplona, en naast de grote schrijver was Ricardo komen te zitten. Aangezien hij naar Portugal ging voor zijn scriptie over Portugese, Braziliaanse en Spaanse literatuur, vonden ze al gauw een gespreksonderwerp. Ik weet nog hoe ik ze zag komen aanlopen, Jorge Amado met langzame tred, enthousiast pratend over zijn nieuwste roman, en Ricardo naast hem, zijn bagagekarretje voortduwend. Hoewel hij niet naar hetzelfde hotel moest, stond hij erop ons te vergezellen. Hij zweeg echter vrijwel de hele rit, terwijl Jorge Amado me een beschrijving gaf van zijn reis en me vertelde hoe interessant het was geweest om met 'deze Baskische jongeman' te spreken, die hem door de laatste twee vlieguren had geholpen. Ik merkte dat zich tussen hen een enorme sympathie en begrip had ontwikkeld. Vreemd genoeg, want wat ik in het achteruitkijkspiegeltje zag was een gesloten, ernstig gezicht met een afstandelijke uitdrukking, waarop zo nu en dan een timide, geforceerd lachje verscheen.

Jorge Amado is een van die mensen die door hun wijsheid en sereniteit al bij leven onsterfelijk zijn. Ondanks zijn gevorderde leeftijd leek de jetlag aan hem voorbij te zijn gegaan. Hij praatte honderduit over Portugal, dat hij op zijn duimpje kent aangezien hij een goede vriend van Antonio is. Het feit dat ik hem was aanbevolen door Antonio boezemde hem vertrouwen in en binnen een paar minuten was het ijs gebroken. Aangekomen bij het hotel spraken we af om rond drie uur 's middags een bezoekje te gaan brengen aan Antonio in zijn atelier. Ze zijn verbonden door een vriendschap van vijftig jaar, waarin ze samen hebben gereisd en gewerkt. Daarbij zijn het twee verstokte Don Juans, en doordat ze in de laatste tientallen jaren al meerdere vriendinnen hebben uitgewisseld, hebben ze een unieke verstandhouding, persoonlijk en onoverdraagbaar.

Ricardo stemde erin toe dat ik hem afzette bij de ingang van een aardig, bescheiden hotelletje in Baixa, nadat ik erop had aangedrongen hem een lift te geven. Bijna de hele rit zweeg hij, zich nauwelijks bewust van de stad en de mensen, met de aarde verbonden enkel door een luchtige, vormelijke gelegenheidsconversatie waarin hij gladjes over van alles babbelde zonder ook maar iets prijs te geven over zichzelf.

Er gingen twee weken voorbij voor ik hem weer zag. Bij ons afscheid had ik hem mijn kaartje gegeven en ik dacht al dat hij totaal was opgegaan in het werk aan zijn scriptie in de Nationale Bibliotheek, toen we elkaar tegenkwamen in Kapital, op een van mijn klassieke avondjes uit met Luisa, waarbij het enige doel was dat zij het een of ander joch kon oppikken en ik me kon verstrooien met het drinken van cola en het belasteren van mijn omgeving. Daar stond hij, met een flesje bier in zijn hand, in een suède blouse en spijkerbroek, met kort haar en die enorme groene ogen, afstandelijk en ver van alles verwijderd. Die nacht veranderde mijn leven. We praatten tot tien uur in de ochtend, ontbeten samen, zagen elkaar opnieuw 's middags, na enkele uren van uitgeput in slaap vallen en weer opschrikken, en de dagen erna waren er op gericht om samen te zijn en elkaar te leren kennen. Minder dan twee weken later trok Ricardo bij me in, met de vanzelfsprekendheid die alleen uitverkoren stellen kennen. We voelden allebei dat we voor elkaar bestemd waren, alsof een goddelijk wezen ons had verbonden en ons beschermde tegen de rest van de wereld. In die tijd was alles voor ons zo zalig en gemakkelijk. We deelden onze levens met elkaar, ons lichaam, hoofd en ziel, we werden één persoon en dat was precies hetgeen ons later scheidde. De breuk viel me zo zwaar dat mijn geheugen onze laatste dagen samen heeft uitgewist. Als ik aan Ricardo terugdenk, herinner ik me altijd die eerste tijd. Het einde ligt begraven in mijn onderbewuste en ik wil het niet naar boven halen, wil ook niet proberen te begrijpen waarom ik de enige man van wie ik hield heb verloren. Soms overvalt me nog dat volkomen stupide gevoel dat alles anders zou zijn als ik hem op het laatste moment, als iemand die de toekomst in de hand heeft, zou hebben gevraagd om te blijven en op die manier een wonderlijke acrobatische ommezwaai naar een Amerikaans happy-end had bewerkstelligd. Maar nee. Op de avond dat hij wegging, was hij vanbinnen al lang vertrokken, hij was al niet meer bij mij.

Geheel in beslag genomen door dit onderwerp kom ik aan bij de redactie. Ik ben komen aanrijden op de automatische piloot en aangezien ik voor de deur kon parkeren, hoefde ik nog niet op aarde te landen om me te bekommeren over de alledaagse beslommeringen van de gewone sterveling: op tijd wakker worden, een outfit uitkiezen, je auto parkeren, iets te eten regelen, rekeningen betalen, werken, telefoneren, de vuilnisbak buiten zetten en slapen. De waarheid is dat ik de pest heb aan de monotonie van dit leven, met al die haast verachtelijke en zinloze handelingen die zich onafgebroken herhalen en die ons, erger nog, dus in evenwicht houden, een triest paradigma van ons georganiseerde leven, geregen in het keurslijf van tijdschema's, taken en verplichtingen, lunches en diners, dagen en nachten die elkaar opslokken zonder dat we merken dat de tijd voorbijgaat, tot je op een dag dertig wordt, en dan veertig, en dan vijftig.

De nerveuze staat waarin Paulo verkeert als ik binnenkom, brengt me onmiddellijk op andere gedachten. De drukker heeft de drukproeven van de twee laatste katernen niet afgeleverd en het blad zal te laat verschijnen. In een aanval van ijver stel ik voor om gezamenlijk naar de drukkerij te gaan om ze het vuur aan de schenen te leggen, maar Paulo zegt dat hij zich al helemaal suf heeft gebeld en dat dat het probleem niet oplost. Als hij de kamer uit is bel ik de correctrice van de drukkerij, mijn strijdmakker sinds de eerste dagen van het tijdschrift. We hebben elkaar al vele malen uit de brand geholpen; misschien kan zij me vertellen wat er aan de hand is. Ze heet Elisa en woont in haar eentje met zes katten op een zolderetage in Alcântara. Ik heb haar eens een lift gegeven, op een avond dat een nummer van het tijdschrift af was. Ik kon mijn ogen niet geloven toen ik mee naar boven ging om wat sigaretten van haar te bietsen en mezelf omringd zag door katachtigen, de ene met een nog grimmiger en ondeugender uiterlijk dan de andere. Een provinciale, Lusitaanse versie van de Aristocats. Er was een Hertogin, die in plaats van wit grauw was, een bruine kat die O'Malley heette, een Maria, een Toulouse en een Berlioz. De zesde kat, een grijs scharminkel, blind aan een oog en zonder snorharen, heette Roquefort. Ik wilde Elisa niet vragen waarom ze zoveel katten had, noch waarom ze allemaal filmsterrennamen hadden terwijl ze er zo alledaags uitzagen. Het zou meer voor de hand liggen ze allemaal 'poezebeest' te noemen, wat de mogelijkheid biedt voor allerlei verkleinwoordjes zoals poesje, poezewoes, beessie enz. Maar nee hoor, Elisa, de meest simpele en alledaagse onder de stervelingen, had in een opwelling van stoutmoedige originaliteit besloten haar kattenfamilie te vernoemen naar de Disney-aristocratie.

Elisa weet niet wat er aan de hand is, maar onthult me op een samenzweerderige toon dat Paulo een beetje achterloopt met betalen en meneer Américo, de vennootmanager van de drukkerij, heeft besloten 'die opschepper, nog maar net uit de luiers en hij denkt al dat hij een van de grote bladenuitgevers van Portugal is' eens te laten schrikken. Niet dat Elisa de stem van meneer Américo zo goed imiteert, maar haar weergave van de scène is zo grappig dat ik mijn lachen niet kan houden.

Waarom zijn alle mensen in Portugal toch zo, altijd klaar om gebruik te maken van andermans goede wil? Als ik niet voor het betalen van mijn rekeningen afhankelijk was van Paulo, organiseerde ik onmiddellijk een protestdag samen met meneer Américo: voorwaarts kameraden, het land aan wie haar bewerkt, eendracht maakt macht! Het raakt in Portugal steeds meer in de mode om je rekeningen te laten liggen.

Om vijf uur 's middags, na afloop van de redactievergadering voor het volgende nummer, laat Paulo me gaan met een glimlach als van een boer met kiespijn. Hij zegt dat hij het interview met Luis Lopes de Sousa niet erg sterk vond.

'Jij kunt beter.'

'Ik mocht hem niet,' mompel ik.

'Maar je zou hem wel moeten mogen, snap je? Je zou alle mensen die je interviewt moeten mogen.'

Ik neem niet eens de moeite hem te antwoorden dat ik eigenlijk zou willen werken bij een weekblad met een hoge oplage, *Expresso* bijvoorbeeld. Serieuze reportages maken, corruptieschandalen onderzoeken, of kuiperij bij sportclubs, of machtsmisbruik bij de inlichtingendienst. Maar daarvoor zou ik meer politiek bewust moeten zijn, nog zo'n uitdrukking die in de mode is. En dan zou ik deel moeten uitmaken van het journalistieke circuit, om middernacht paardenbiefstuk moeten gaan eten in de Snob – onhaalbaar, want ik verafschuw paardenvlees –, overweg moeten kunnen met de kranten- en televisiemaffia, kortom, een insider moeten zijn. In plaats daarvan breng ik mijn avonden en weekends door met mijn vertrouwde vrienden of mijn familie. Ik zou kosmopolitischer moeten zijn, maar in de loop van de tijd ben ik mijn interesse verloren in het mondaine leven van deze provinciale stad waar iedereen elkaar tegenkomt, herkent en belastert op de kruisweg van steeds eendere avonden, tussen het gesmiespel in Bairro Alto en de cafés in de haven. Ik ben het al zó lang moe om Portugese te zijn en hier te wonen. Ik wil meer, beter.

Deze samenleving leeft opgesloten in zichzelf, alsof iedereen rondloopt met een gigantische navel en oogkleppen zoals die van ezels, om almaar één en dezelfde kant op te kijken. Zo ongeveer om de tien jaar worden enkele gezichten vernieuwd, maar er verandert niets, de mentaliteit verandert nooit, en het grappigste is nog dat iedereen zichzelf zeer modern en ontwikkeld vindt.

Ik arriveer bij Amoreiras na bijna slaags te zijn geraakt met een taxichauffeur die vlak voor me overstak bij de opgang van Avenida Joaquim Antonio de Aguiar. Bij dit soort alledaagse conflicten stel ik me altijd voor dat ik verander in een stripfiguur à la de geest van Aladdin – reusachtig, woest en afschrikwekkend – en met een vingerknip mijn vijanden van het asfalt wegvaag, als een stadsguerrillastrijdster. Ik vergeet het incident zodra ik onderga in de opium van ons fin de siècle: de shoppingcenters. Ik dwaal wat rond op zoek naar een leuk jurkje of een jas, maar zonder succes. Na zeven winkels is mijn consumeerdrang alweer geblust. Ik wip nog even binnen bij een boekhandel in een vergeefse poging me te laten verleiden door een boek, maar kom verslagen weer uit het grote Mekka van Lissabon. Zal ik me eerst nog laten verlokken door een heerlijk solitair bioscoopje? Nee, helaas zou de film pas na negen uur afgelopen zijn en zou ik te laat aankomen bij mijn moeder.

IV

Ding-dong. Het is fijn om dat belletje weer te horen, dat minstens even oud is als ik. En dan naar binnen te gaan en die typische, unieke en onvergetelijke geur te ruiken van je eerste thuis. Zoals altijd staan er overal bloemen, en zoals altijd niet te veel. Mijn moeder maakt nog steeds de mooiste bloemstukjes die ik ooit heb gezien. De laatste tijd wijdt ze zich aan droogbloemen, vooral sinds de dood van oma Helena, alsof haar ziel al die vluchtige frisheid beu is. Ze is behoorlijk oud geworden de laatste jaren, maar vanbinnen blijft ze nog steeds dezelfde ondernemende, methodische, vrolijke en bijzonder energieke vrouw. Mijn neefje João Pedro verzon de perfecte bijnaam voor haar: Grote-Kloek-Die-Altijd-Loopt. Oma noemde hij Zittende-Farao en mij Verstrooid-Vlindertje. Vijfjarige kinderen hebben al heel wat in hun mars.

Iedereen is vóór mij gearriveerd. Mijn broer Zé Pedro en Isabel, mijn zus Joana en mijn zwager Henrique. De troep neefjes en nichtjes overvalt me, ze komen aan mijn armen en om mijn hals hangen, overstelpen me met felicitaties en verdwijnen even snel als ze verschenen zijn, onder vrolijk en chaotisch getetter terugkerend naar de speelkamer, waar ze verdergaan met keizertje spelen. Een spelletje dat is uitgevonden door mijn oudste nichtje, dat altijd plechtig verklaarde dat haar ouders de keizers van het gebouw waren. Zo ontstond er een nieuwe aanduiding voor de functie van beheerder van het condominium, en het werd een familiegrapje.

Deze familie-etentjes maken me altijd wat terneergeslagen.

Ik vind het leuk om bij ze te zijn en met de kleintjes te spelen, maar het zien van de solide en geslaagde gezinnetjes binnen mijn familie, herinnert me eraan dat nu alleen ik nog het voorbeeld van mijn broer en zus moet navolgen: een goed huwelijk, een voorspoedig, ordelijk leven en nakomelingen om de erfopvolging te verzekeren. Ik heb nooit zo'n toekomst gewild, van jongs af aan heb ik me afgekeerd van de perfecte, saaie patronen die mijn ouders altijd hebben gevolgd. Ik wilde een ander leven: reizen, uitgaan, maximaal plezier en minimale verantwoordelijkheid. Zo heb ik de afgelopen tien jaar geleefd, zonder al te veel verdriet of zorgen, met min of meer stabiele relaties die ik altijd redelijk gemakkelijk onder controle hield. De jaren gingen voorbij en nu ineens lijkt het alsof ik erdoor word verpletterd. Ik kijk naar mijn broer en zus en merk dat ik jaloers ben op hun kinderen, hun huizen, hun routineleventje vol zekerheden, de rust van een gezin. Ik ben dertig en heb niets opgebouwd behalve een vage carrière als journaliste, waarschijnlijk zinloos en beslist met weinig toekomst. Vergeleken bij hen heb ik niets.

'Zusje heeft geen fut vandaag,' merkt Zé Pedro op.

'Ik heb knoflook gegeten bij de lunch,' antwoord ik laconiek. Een van de dingen die ik het aardigste vind als ik bij hen ben, is de kunst van de loze conversatie. Met de jaren is dat de meest effectieve vorm van communicatie tussen ons geworden. Het is uitdaging en therapie tegelijk. We kunnen hier urenlang zoet mee zijn en als het loze gebabbel ophoudt, zijn we allemaal opgewekter en ontspannener. Halverwege de hartversterkende bacalhau, vergezeld van een goede wijn uit de Alentejo, komt de fatale vraag: 'En, meisje, heb je nog iets van Ricardo gehoord?'

Ik vraag droogjes of ze het zwart op wit wil zien. Het is er kennelijk op een vreselijk onaardige toon uitgekomen, want de sfeer verkilt op slag. Ze rekenen het me aan dat ik niet ben zoals zij. Ze zouden me nog liever met de een of andere idioot getrouwd zien dan single, los, baas over mijn eigen leven en vrij om te gaan en staan waar ik wil. De waarheid is dat de meeste mensen niet goed alleen kunnen leven. Ze zorgen altijd voor een hulpje, een steunpilaar, een mechanisme waaraan ze zich verbinden om hun fysieke, economische en affectieve overleving te garanderen. En toch leiden zo ontzettend veel van die mensen uiteindelijk een ellendig bestaan, alleen omdat ze niet kunnen, niet willen of het gewoonweg niet voor elkaar krijgen om de sprong te wagen... Voor ik en Ricardo uit elkaar gingen, was ons leven al een gecompliceerde, stilzwijgende lijdensweg, gevoelsarm, en ten dode opgeschreven. En toch was hij het die wegging, hij maakte de sprong en liet mij achter met een ziel die zwaar was van verdriet en onmacht omdat ik niet als eerste een punt had gezet achter een relatie zonder enige uitweg. Een steunpilaar helpt altijd, en de beste die je hebt zijn de mensen die je speciaal daarvoor hebt uitgekozen. De slechtste zijn degene waarin je voormalige geliefden verandert van wie je niet weet hoe je ze moet laten gaan. Leegte is als leeftijd. Ze neemt almaar toe en wordt steeds zwaarder, steeds moeilijker te ontkennen. En de routine, de grootste vijand van de levende liefde, laat je in de verraderlijke val trappen: je laat de tijd voorbijgaan, je vergeet de ruzies, je gooit achter je wat je niet onder ogen durft te zien en accepteert feiten en woorden die je menselijke waardigheid aantasten.

Intussen zijn we al bij het dessert. Ik moet iets aardigs hebben gezegd, want de sfeer is opgeklaard en de neefjes en nichtjes domineren het gesprek, dat gaat over wie wat wordt op het schoolfeest. De kinderfauna verdeelt zich over bloemetjes, vogels en vlinders in een toneelstuk met vast en zeker een ecologisch thema. Langzaam maar zeker ontspan ik me. Eigenlijk prijs ik me gelukkig met deze saamhorige en perfecte familie. Ze geeft me alles wat ik niet heb: rust, stabiliteit en geborgenheid.

Het etentje is zowaar met de vereiste normaliteit en in passende opgewektheid verlopen. Ik heb mijn best gedaan om me vrolijk voor te doen, meer om morgen niet van mijn moeder aan de telefoon te horen te krijgen dat ze me nogal bedrukt vond dan om welke andere reden ook. En aangezien ik geoefend ben slaagt mijn poging volledig, zelfs voor mezelf, want ik kom ervandaan met een goedgeluimdheid die ik in geen maanden heb ervaren.

Het is een heldere avond, zo een met een zachte bries en een hemel vol sterren, en ik rijd op de tonen van *Eine kleine Nachtmusik* naar Catarina's huis. Ineens lijken al mijn problemen het raam uit te vliegen en te verdwijnen in de duisternis achter me. Ik kan de verleiding niet weerstaan de wet te overtreden en door een paar rode stoplichten te scheuren, alsof die staan voor onneembare barrières in mijn leven. En zo schiet ik voorbij de eenzaamheid, het verdriet, het pijnlijke verlies van Ricardo, en de angst voor het alleen zijn.

Ik kom zo vrolijk aan dat João me bij binnenkomst vraagt of ik een blowtje heb gerookt. Hij vindt dat ik er helemaal high uitzie.

'Dat niet, maar ik zou er nu best trek in hebben.'

'Rustig aan,' zegt Mariana, 'we hebben nog niet gegeten.'

Ik glip snel de keuken binnen, waar Catarina, Luisa en Teresa verwikkeld zijn in een wat rommelige en surrealistische dans van fornuis naar koelkast en vandaar weer naar de magnetron. Lurdes, de zorgende extensie van het huis, is met haar vriendje naar de film. De arme ziel, ze zorgt best goed voor de kinderen, maar net als ik gruwt ze van keukens en als ze voelt dat er een etentje met gasten in de lucht hangt, verzint ze meteen een excuus om ervandoor te gaan.

Ik heb al van kindsbeen af een keukenallergie. Dat komt door een kogelronde kokkin met de naam Almerinda, die in het huis van mijn oma werkte en er plezier in schepte mij op kerstavond te vertellen hoe in haar geboortestreek de kindertjes in de oven werden gebraden als ze hun huiswerk niet hadden gedaan. Catarina is geen slechte huisvrouw, maar ze is ook weer geen pantagruelesk genie. Teresa kan, dankzij haar voornamelijk uit ledigheidstherapie bestaande leventje, wel wat vermeldenswaardige tapas maken en Mariana is ook goed in pasta- en rijstgerechten. Maar wat tapas betreft gaat er niets boven Luisa en João voor onvergetelijke gastronomische feestjes. Zij, omdat ze is opgegroeid tussen stoofpotten, *polmes*, bavaroises en bouillons. En hij, omdat hij zich, zoals alle grote versierders die ik ken, in zijn vrijgezellenjaren in de kookkunst heeft bekwaamd. Zo werkte hij op methodische wijze de moeilijkste vrouwen zijn bed in, die zo dom waren bij hem thuis te komen eten. Alleen João weet hoe hij van een *pargo* uit de oven een afrodisiacum kan maken. Hij zegt dat het geheim 'm zit in de kruiden en de wijn. Ik heb hem er wel eens van verdacht tovenarij toe te passen en magische poeders in de aperitiefjes te strooien op het moment dat de argeloze meisjes naar de wc gingen om hun mascara bij te werken. Maar je hoeft die leuke kop van hem maar te zien, zijn indrukwekkende, verzorgde snor en zijn sluwe vossenogen, om alle twijfel weg te vagen. João is meer van het Terminatortype, het soort man dat weet dat hij nooit faalt. Als ze niet bij de eerste gelegenheid voor hem vallen, gebeurt dat wel bij de tweede of de derde, met een glaasje witte wijn meer of minder. Maar nu heeft het schot hem, net als de wolf in het sprookje van Roodkapje, midden in zijn voorhoofd getroffen; híj zal geen kindertjes meer verschalken op de paden van het bos.

Discreet sla ik ze gade rond het fornuis. Luisa, superchic als altijd, in een lange rok en met een paar laarzen aan waar ik een tikkeltje jaloers op ben, haar Armani-bril op het puntje van haar neus en perfect gekapt. João met zijn das half los, het hemd haast uit zijn broek. De twee staan geanimeerd te praten over aromatische kruiden waar ik de namen niet van kan onthouden, zoals bieslook en postelein of zo. Ik keer terug naar de huiskamer, waar Mariana en Catarina een glas whisky zitten te drinken terwijl ze wachten tot de keukenhelden klaar zijn met de hapjes. Teresa is nerveus, ze loopt van de kamer naar de keuken en weer naar de eetkamer, met het excuus dat vast nog niet alles op tafel staat. Ik vraag naar Catarina's kinderen. Goddank slapen ze al, en gezien de grootte van het huis is er geen gevaar dat ze wakker worden. Mariana ziet er prachtig uit, met haar haar opgestoken en een nauw aansluitende jurk die haar onweerstaanbaar maakt. 'Met dat figuurtje van jou is het een misdaad dat je geen vriend hebt,' zeg ik vol sympathie. Als ik een man was, zou ik stapelverliefd worden op die vrouw. Ik heb nog nooit zo'n perfecte combinatie gezien van kracht en mildheid, van intelligentie en gevoel, talent, goede manieren en een goed hart. En toch is ze alleen, als een vergeten kanarie in een serre. Wat een zonde. Catarina heeft nog steeds hetzelfde sombere gezicht als tijdens de lunch, maar ze heeft zich opgemaakt en een minirok aangedaan om zich wat op te krikken. Hoewel ze al wat mollig is, heeft ze nog een redelijk figuur. Als ze zich wat meer sexy wist te kleden zou Bernardo misschien naar haar kijken met de ogen van een man en niet van een echtgenoot. Pas dan merk ik op dat Bernardo er nog niet is, maar ik durf niets te vragen, want ik heb wel door dat Catarina's rotbui daarmee te maken heeft. Al jaren heeft Catarina het van tijd tot tijd knap moeilijk met Bernardo. In stilte, met de waardigheid eigen aan voorbeeldige echtgenotes die onder alle omstandigheden gerespecteerd willen worden. Soms stel ik me voor hoe Catarina een slaapkamer binnenloopt, Bernardo in bed aantreft met de een of andere meid en zegt: sorry, ik heb me in de kamer vergist. Ze is een ouderwets Portugese vrouw die nog steeds gelooft dat een dame soms maar beter zwijgt en zich blind en doof houdt voor bepaalde dingen. Ik had net zo'n tante. Ze bracht de vakanties altijd samen met haar man door in Luso.

Ieder jaar dat ze gingen, ontmoetten ze nieuwe mensen. Tijdens een van die vakanties werd een heer van middelbare leeftijd verliefd op haar. Toen hij merkte dat al zijn avances vergeefs waren, insinueerde hij tegenover haar dat mijn oom zich in een huis van slechte naam bevond, ongetwijfeld in vrouwelijk gezelschap. Geconfronteerd met de ijzige onverschilligheid van mijn tante schreef de weduwnaar in een daad van wanhoop een adres en telefoonnummer op een blaadje. Mijn tante pakte het papiertje en zei: 'Weet u waar dit goed voor is?' Ze streek een lucifer af en verbrandde het bewijs van de echtbreuk. Maar hiermee is het verhaal nog niet uit: nooit heeft mijn oom iets gehoord over dit voorval, en pas na zijn overlijden vertelde mijn tante het verhaal aan haar neefjes en nichtjes, als een eeuwige trofee van haar karakter.

Bernardo arriveert. Automatisch keur ik de knoop van zijn das. Dat is het zwakke punt van alle overspelige mannen. Ze denken er altijd aan hun hemd in hun broek te stoppen, hun sokken goed tot boven hun enkels op te trekken, zich onder de douche te boenen tot de vreemde geur geneutraliseerd is, het raampje van hun auto open te draaien zodat hun haar sneller droogt. Maar daar hebben we de knoop die, scheef en schriel, zonder enige zwier of professionaliteit verstrooid en niet erg overtuigend gelegd, getuigt van het slippertje. En Bernardo's knoop lijkt in genen dele op de Windsorknoop.

'Leuke das,' merk ik sarcastisch op. Ik krijg ineens zin om hem voor iedereen te kijk te zetten en hem te vragen waarom hij zonodig buiten de deur moet neuken terwijl hij een mooie, intelligente en lieve vrouw heeft die hem een luizenleventje en een stel voorbeeldige kinderen heeft bezorgd. Ik houd me in en steek een sigaret op. Misschien is dat het hem juist. Als ze lelijk, dik en vervelend was en zijn leven tot een hel maakte, zou hij haar niet eens bedriegen.

'Je krijgt verrassingsbezoek,' kondigt Luisa aan nadat ze een dampende terrine op de eetkamertafel heeft gezet met de soep die ze vol trots samen met João heeft bereid.

'Zeker de boze wolf,' zeg ik droog.

'Nee, nee,' antwoordt ze met de slinkse blik die vrijwel altijd de voorbode is van onheil, 'een lekker mals, prachtig lapje vlees...' Verbijsterend hoe Luisa mannen systematisch reduceert tot stukken vlees. Ik stel me haar voor als eigenares van een winkel met stukken man, niet in een slagerij met een schort voor, maar gezeten aan een stijlvolle secretaire, zoals bij grotere juweliers, inpratend op haar naar vers vlees hunkerende klanten van middelbare leeftijd, met een catalogus onder hun ogen en een slabbetje voor om het stalenboek niet vies te maken. 'Deze is interessant, als u van goed gevormde biceps houdt... ik heb hem al uitgeprobeerd en het is een fraai exemplaar.' Juwelierster in mensenvlees, genadeloos roofdier, de Mata Hari van Bairro Alto. Voor één enkel nachtje zou ik zo willen zijn als zij. Een knaap oppikken en hupsakee. Maar nee, ik moest zo nodig als vrouwelijke vrouw geboren worden. Ik verlang alleen naar waar ik van hou, het omgekeerde krijg ik niet voor elkaar.

'Mag ik ook weten wie?'

'Rustig maar, je zult het wel zien.'

Wat kan mij het schelen. Maar ineens kom ik bij zinnen en land met beide voeten op de aarde.

'Je gaat me toch niet vertellen dat het die klier van een Francisco is?' vraag ik zonder het antwoord te willen horen.

'Precies.'

'Maar die idioot probeer ik nu juist al de hele dag te ontlopen!'

'Wie is Francisco?' vraagt Teresa.

'Een vriend van Gonçalo.'

'Kijk aan,' zegt João plagerig. 'Gonçalo is toch die jongen die je hebt opgepikt in T-Club?'

'Precies,' antwoordt Mata Hari.

'Hier zit iets achter...'

'Jullie zijn niet goed bij je hoofd. Eerst organiseren jullie een verjaardagsetentje voor me waarbij ik niet eens iets eet, en dan nodigen jullie die klojo's uit!'

Bij het idee die achterlijke Gonçalo door de deur te zien komen met die lepe Francisco, die me nauwelijks kent maar me niet meer met rust laat, krijg ik zin om acuut te vertrekken. Mariana gooit water op het vuur.

'Jij hebt tenminste iemand die je belt...'

Ik wil haar antwoorden dat een vrouw als zij niet dat soort opmerkingen zou moeten maken, dat het feit dat ze zich altijd loopt te beklagen zich alleen maar tegen haar kan keren, maar ik houd mijn mond. Dit is niet het moment.

'Ik heb alleen maar gezegd dat ze langs konden komen als ze in de buurt waren.'

In de buurt, goeie grap. Catarina's huis ligt in de Rua da Escola Politécnica. Het is voor wie dan ook moeilijk om daar niet in de buurt te komen.

'Wie is die Francisco eigenlijk?' herneemt João.

'Dat zei ik toch, hij is een vriend van Gonçalo.'

'Dat bedoel ik niet. Wat ik wil weten is: wie is hij, wat doet hij, Francisco hoe?'

'Francisco Kuttekop,' antwoord ik.

'Kuttekop of niet, de jongen heeft een oogje op de jarige,' kapt Luisa meteen af. 'En tussen ons gezegd en gezwegen, onze Baskische weduwe zag hem ook wel zitten.'

Ik lach om haar geen fout antwoord te geven. Ik zou haar moeten zeggen dat ze omdat zij zonder enig onderscheid alles neemt wat haar voor de voeten komt, nog niet het recht heeft om anderen volgens dezelfde norm te beoordelen. Maar dat soort commentaar verziekt de sfeer alleen maar, en daarbij zou het geen enkel effect hebben op Luisa. Ze zou erger beledigd zijn als ik haar zei dat haar blouse niet bij haar rok paste.

'Niks hoor,' antwoord ik rustig. 'Ik zie die Francisco absoluut niet zitten, en ik heb ook geen idee wat zijn achternaam

is, zijn beroep, uit wat voor nest hij komt en al dat soort zaken. En wat betreft dat grapje van die Baskische weduwe: als
jullie de zaken in die termen willen stellen, beschouw ik mezelf als een vrolijke weduwe.

Mariana komt me te hulp.

'Weten jullie wat mij laatst is overkomen?' En ze begint te
vertellen over een bizarre intrige waarvan ze het slachtoffer
was in het conservatorium, waar ze vioollerares is. Al gauw
neemt het gesprek een andere wending.

Het is halftwaalf geweest als de bel gaat en de twee sulletjes
in de deuropening verschijnen. Gonçalo, de stakker, biedt Catarina uitgebreid zijn verontschuldigingen aan dat ze zomaar
komen binnenvallen, maar het ijs breekt wanneer ze elkaar
een minuut later herkennen en zich vol nostalgie de zomer-
avonden in Jardim da Parada in Cascais herinneren, hij in
donkerblauwe broek en zij met een paar beeldige staartjes
waar alle kinderen dolgraag aan trokken. Catarina kan hem
nog niet helemaal plaatsen, maar Gonçalo's achternaam verjaagt alle twijfel. En aangezien toeval niet bestaat, zijn hun
beider moeders elkaar laatst nog tegengekomen bij een mo-
deshow van Ayer die toevallig in het tijdschrift stond. Ik be-
studeer Gonçalo's gelaatstrekken en herken direct de over-
eenkomsten met zijn moeder, die op een foto stond naast tante Constança, Catarina's moeder. Ze hebben dezelfde smalle
mond, dezelfde kromme neus, lichte ogen en blond haar. Ik
snap niet hoe Luisa met dit onbenullig sujet naar bed kan
gaan en hem daarna nog recht kan aankijken.

'Ja, ja,' zegt Catarina, al helemaal enthousiast over deze
kans om herinneringen op te halen aan het verleden in Parada. 'Mijn moeder vertelde me nog dat je zus Carlota in verwachting is en dat jij de enige bent die nog niet is getrouwd...'

Bernardo volgt het gesprek nauwlettend en aangezien hij
niet bij het groepje van Parada hoorde, kijkt hij ietwat wantrouwig naar Gonçalo. Hij, ook van goeden huize maar min-

der welgesteld, had zijn vakanties doorgebracht in Praia Grande en vond de lui van Cascais altijd maar irritante wezens. Gonçalo babbelt naar hartelust met Catarina over driehonderd neven en nichten en nog eens vierhonderd vrienden, de erfenis van hun gemeenschappelijke jeugd. Wie daarvan baalt is Luisa, die voor een moment haar pose van fatale spionne heeft verloren en zich heeft teruggetrokken op de bank achter in de kamer, waar ze aandachtig zit te luisteren naar het gesprek van de twee. Arme Luisa. Op dit soort momenten laat het leven zich van zijn ondankbaarste kant zien. Ze is een interessante, superintelligente vrouw, ze heeft een benijdenswaardige carrière, een veelbelovende toekomst, een spectaculair huis, maar het ontbreekt haar aan de bagage van een jeugd, van ooms en tantes, van vakantiehuizen aan de Douro of in Ribatejo, van pleziertochtjes met een rijtuigje. Zij is als een *nobody* opgevoed in betere kringen, ze bezit niet dat vervloekte visitekaartje dat in sommige kringen binnen de Portugese samenleving onmisbaar is: een klinkende achternaam. En het feit dat haar moeder kokkin is en zij een bastaardkind zit haar niet lekker, al spot ze er nog zo mee.

Francisco komt de kamer in met de raadselachtige glimlach die hij nooit van zijn gezicht schijnt te halen. Hij geeft me een haastige, verstrooide kus en begint met een overdaad aan belangstelling de schilderijen te bekijken om er niet uit te zien of hij niets te doen heeft; vervolgens prijst hij uitgebreid de goddelijke aanblik van de pudding die Teresa voor het diner heeft gewrocht. Hij is zeker woedend dat ik zijn telefoontjes niet heb beantwoord en me aan het eind van de dag uit de voeten heb gemaakt om een acute derdegraadsontmoeting te ontlopen. Zodoende drentelt hij wat rond tussen huiskamer en eetkamer, alsof ik er niet ben. Als hij Luisa stilletjes in een hoekje ziet zitten, besluit hij naar haar toe te gaan en heel zachtjes op geheimzinnige toon met haar te gaan zitten praten, zodat niemand hoort wat hij zegt. Het moet redelijk grappig zijn, want Luisa heeft snel haar vrolijke gezicht terug en de twee zitten onderdrukt en samenzweerderig te giechelen. Op zeker moment legt Francisco zijn hand op haar schouder om haar een of andere stommiteit in het oor te fluisteren, en zonder te weten waarom voel ik me er ongemakkelijk bij. Ik ben zeker niet lekker! Die gast maakt avances bij mijn vriendin, die overigens nog wel op ditzelfde moment iets heeft met zijn vriend (misschien wel juist daarom), en ík zou me daaraan ergeren?

Ik kijk om me heen en merk dat iedereen zich vermaakt, behalve ik. Zelfs Mariana neemt vrolijk deel aan het gesprek tussen Gonçalo en Catarina, die nog steeds herinneringen ophalen aan hun verleden in Parada. João en Bernardo hebben het over voetbal, met het enthousiasme dat alleen mannen voor dat onderwerp kunnen opbrengen. De overige twee fluisteren verder op de bank achterin. Zal ik ervandoor gaan? Niemand zou het merken, het zou prima gaan. Ik begin te betwijfelen of ze speciaal voor mijn verjaardag bij elkaar zijn gekomen. Voor Luisa was het alleen maar een smoesje om Gonçalo weer te kunnen zien. Nu die geen aandacht aan haar besteedt, lijkt ze een alternatief te hebben gevonden. Voor Catarina was het een verrassende avond. Een jeugdvriend terugzien is altijd fijn en dit was de perfecte avond voor de ontmoeting, want voorzover ik het begrijp, heeft Bernardo zijn oude gewoonten hervat en neemt zij wraak. Alleen ik haal niets productiefs uit de avond. Ik ben dertig, en wat dan nog? Niets in mijn leven is veranderd. Ik woon nog in hetzelfde huis, werk bij hetzelfde tijdschrift en interview nog steeds mensen die niets te zeggen hebben. Al maanden staat alles stil, gestagneerd als een meer met troebel water waarin niet eens een blaadje valt...

Voor ik Ricardo leerde kennen, verliep mijn leven soepeler en was alles gemakkelijker. Pas nu zie ik hoezeer ik ben veranderd sinds hij in mijn leven kwam. Ik ben een ander mens geworden, veel serieuzer en zwaarmoediger. Ik heb me opgesloten in mezelf. Eerst kwam dat door hem, doordat hij me handig manipuleerde tot hij zich volledig meester over me voelde. En het meest ironische is dat ik, toen ik me dat bewust werd en me wilde bevrijden, dacht dat als hij uit mijn leven zou verdwijnen alles weer zou worden als voorheen. Alleen was ik vergeten hoe het is om alleen te zijn. In stilte wakker worden, ontbijt maken voor één, tussen de middag veelal staand een boterham eten om maar niet het gemis van gezelschap te voelen, en aan het eind van de dag thuiskomen zonder dat er iemand op me wacht. Familie, vrienden, vriendinnen, Gonçalo's en Francisco's zijn van weinig belang in deze innerlijke pelgrimage, dit onvrijwillige celibaat van een niet erg overtuigde Karthuizer monnik. Van hen allen staat Mariana misschien nog het dichtst bij me, vanwege haar vergelijkbare situatie van zelfverkozen maar onvrijwillige eenzaamheid. Ik herinner me haar tien jaar geleden. Mooi en levendig als ze was, grossierde ze in romances die onvermijdelijk uitliepen op gepassioneerde liefdes in de beste negentiende-eeuwse romantische stijl. Relaties die teloorgingen in de tijd maar hun sporen hebben nagelaten: moeheid, verdriet, berusting en een diepe twijfel ten aanzien van de menselijke soort. Mariana is nu nog steeds een mooie vrouw, maar intens alleen, echt helemaal in zichzelf gekeerd. Iemand die liever in bed kruipt, omringd door dozen chocolaatjes en boeken van Somerset Maugham, dan dat ze een uitnodiging aanneemt voor een avondje uit met haar beste vriendinnen. Haar viool en haar leerlingen blijven het enige waar ze echt plezier in schept. De rest is eenzaamheid.

Met haar lichte, haast zwevende tred komt ze naar me toe en gaat naast me zitten.

'Ik vind er niets aan als je me zo medelijdend aankijkt. Kom op, het is je verjaardag, wees eens wat vrolijker; probeer het althans, anders krijg ik nog medelijden met je.'

Dit alles zegt ze met een glimlach, heel langzaam, zoals alleen zij dat kan. Met zo'n vriendin zou ik geen andere nodig hebben. Ze heeft gelijk. Ik moest maar eens omschakelen, en vandaag is daarvoor een uitstekende dag. Ik ben al niet meer de Baskische weduwe, de ouwe vrijster tegen wil en dank, die droomt van luiers en babyflesjes. Ik word weer degene die ik altijd ben geweest voor de Baskische invasie die me van slag heeft gebracht.

'Weet je wat jou goed zou doen?' gaat ze verder met het ondeugende gezicht van een loops vrouwtjesdier. 'Eens een stevige wip maken, zo een waar je helemaal verzadigd van raakt. Trouwens, hoe lang heb je het al niet gedaan?'

'Ik zit al in de fase van de spinnenwebben,' antwoord ik geamuseerd.

'Dus dat is het! Jij moet je eens lekker laten verwennen.'

'Maar door wie? Weet je dan niet dat er in dit land van harige Harry's niets te vinden is?'

'Tja, maar met je Baskenman is het ook niks geworden, toch? Misschien ben jij gewoon ál te afwijkend...'

'En jij dan, eenzaam zieltje?'

'We hebben het niet over mij, laat mij maar rustig in mijn hoekje zitten. Ik ben al veertig, ik heb voor veel dingen het geduld niet meer, maar jij wel. Op mijn dertigste genoot ik volop van het leven. Je moet je niet zo laten gaan, je moet het ervan nemen zolang je nog niet bent gesetteld, anders word je net zo oud, dik en vervelend als het nationaal gemiddelde. Kijk naar Teresa: wil je zo worden?'

De vergelijking steekt me, maar het werkt wel. Ik denk dat ik maar eens naar die bank achter in de kamer ga om van Francisco de aandacht op te eisen die ik verdien. Als hij me leuk vindt zal ik hem een kansje geven... Met een glimlach van oor tot oor sta ik op en loop met grote passen op hem af.

Langzaam slaat Francisco zijn ogen op, zijn blik glijdt keurend langs mijn benen omhoog. Het is glashelder dat hij alleen maar een praatje met Luisa heeft aangeknoopt om de tijd te verdrijven, want hij neemt me zichtbaar begerig op en dat bevalt me. Voor het eerst bekijk ik hem met mensenogen. Hij heeft een jongensachtig gezicht, kleine, levendige oogjes. Welbeschouwd is hij best knap. En ik heb ook wel door dat hij absoluut geen sukkel is. Sluw, dat wel, maar dan ken je mij nog niet. De beslissing is genomen. Francisco komt in een hoofdstuk van mijn leven, ik weet nog niet welk of in wat voor context. Van nu af aan ga ik profiteren van de situatie en zijn belangstelling in mij gebruiken om me weer begeerd en vrouwelijk te voelen. Wat maakt mij het uit of zijn begeerte alleen maar fysiek is – ik wil ook geen serieuze relatie. Ik wil helemáál geen relatie. Ik wil gezelschap en misschien een beetje seks. Halleluja, die kuisheidsgordel die ik mezelf heb omgegord sinds Ricardo's vertrek mag wel wat losser!

'Kom eens hier, ik wil met je praten.'

Ik neem hem bij de hand en voer hem mee naar de keuken.

'Wil je iets drinken?' vraag ik terwijl ik voor mezelf een whisky met spuitwater inschenk. 'Hetzelfde wat jij drinkt,' antwoordt hij met een nauw verholen glimlach. De scheikundeles is begonnen en de temperatuur stijgt. We zijn nu allebei met de stroom verbonden en het wordt een feest om het voltage op te drijven. Ik geef hem zijn glas aan en ga opzettelijk dicht bij hem staan. Hij heeft een prettige geur en ik ruik zijn frisse adem. Zijn glimlach van zo-even splijt open en ik neem de rij smetteloze, goed verzorgde tanden op. Weinig baardgroei ook. Hij is met eenzelfde verkenning bezig, want hij staart naar mijn mond. Het zij zo, ik ga hem zoenen. Ik zet de twee glazen neer alsof ik aan de leiding ben en laat me gaan in een lange, zoete kus, te goed om de eerste te zijn.

'Bedankt voor de bloemen. En het kaartje.'

'Bedankt dat je er aan het eind van de middag tussenuit geknepen bent en ik me rot heb gezocht.'

'Maar je hebt me gevonden, toch?'

'Nee, jij hebt mij gevonden.'

Deze jongen heeft te veel jaren-veertigfilms gezien met Humphrey Bogart in de hoofdrol. Geeft niet. Ik vind cinefiele teksten en woordspelingen best leuk. Bovendien ben ik jarig en al een beetje aangeschoten, dus ik dein maar mee op de golven. Daar komt weer een kus, nog lekkerder dan de eerste. Ik denk aan Luisa en de permanente oerdrift waarin ze leeft, met haar onstuitbare opeenvolging van romances. Als dit is wat ze voelt, dan begin ik haar beter te begrijpen. Zijn handen gaan langs mijn armen, grijpen mijn handen beet, glijden langs mijn rug naar beneden tot aan mijn heupen. Ik leg ze op mijn schouders om zijn impulsen te bedwingen. Alles goed en wel, maar we moeten het paard niet achter de wagen spannen. Het probleem van mannen is dat ze altijd te snel het bed in willen. Maar Francisco houdt zich goed, hij verontschuldigt zich zelfs.

'Sorry waarvoor?'

'Dat ik aan je zat,' antwoordt hij zonder blikken of blozen. Nu speelt hij de schuchtere, respectvolle jongen. Brutalen hebben de halve wereld, zou ik tegen hem willen zeggen. Maar nee. Ik blijf me van den domme houden.

'En wie heeft je gezegd dat je dat niet mocht?'

Zijn adem stokt en zijn blik begint zachtjes te gloeien. 'Je bent een plaaggeest,' laat hij zich ontvallen terwijl hij zijn vaag verwarde uitdrukking verhult.

'Hoezo, hou je daar niet van?'

Hij grijpt me opnieuw beet en knijpt in mijn schouders terwijl hij me tegen zich aan trekt. 'Ik hou van je, snap je dat niet? Ik hou van je arrogante houding, je grote mond, je eindeloos lange hals, ik krijg je maar niet uit mijn hoofd.'

'Nou, me dunkt dat ik niet eens de tijd heb gehad om daarin te komen,' antwoord ik met een gezicht als van een schoolfrik. Ik ben dol op poëtische tirades, maar zoiets had ik nu ook weer niet verwacht. Ik vertrouw deze praatjes niet helemaal. Langzaam laat hij zijn armen zakken, stapt naar achteren en neemt nog een slok van zijn whisky.

'Je geeft me ook niet de minste kans, hè,' vraagt hij op luchtige toon. Hij gooit het over een andere boeg. Nu wil hij het onderwerp uitdiepen.

'Wat nou, kans? We maken wat lol en jij begint meteen serieus te doen! Wat nou, je houdt van me? We hebben nog nooit ergens over gesproken, het is de tweede keer dat we elkaar zien en jij komt met dat soort geklets!'

'Kom nou, vat het niet zo zwaar op. Geloof je niet in liefde op het eerste gezicht?'

Ik heb zin om te antwoorden dat de laatste keer dat ik daarin heb geloofd me heel slecht is bekomen en dat ik er nog de consequenties van ondervind. Ik ben zelfs bereid om oprecht te zijn, maar een nauwelijks waarneembaar cynisch trekje in zijn gezicht weerhoudt me. Wat wil die vent eigenlijk? Voor het eerst in vele maanden van onthouding was ik bereid me te laten gaan in een onbetekenend, doelloos avontuurtje, en hij moet zo nodig aankomen met die flauwekul en me eraan herinneren hoe idealistisch en romantisch ik ben.

'Wat weet jij nou van houden van, stomkop? Denk jij dat je zomaar zonder meer van alles kunt houden wat je voor je ziet, of behoor je soms tot het slag mannen dat alles wil neuken waar een gat in zit?'

Opnieuw die spottende blik. Hij strekt zijn handen op ooghoogte naar me uit.

'Shhhh!!! Het katje blaast! Wie heeft jou zo gekwetst dat je zo tegen me doet?'

'Rot toch op, man!'

Het grapje over de blazende kat heeft me helemaal uit de stemming gebracht. Ik keer hem de rug toe. Het is alweer afgelopen voor het was begonnen. Ik heb op de avond van mijn verjaardag geen trek in slappe dialogen over banaliteiten. Ik ga in mijn eentje dronken worden, dat heeft altijd wel iets. Ik keer terug naar de huiskamer, waar iedereen ineens stilvalt, zonder dat ze hun verwachtingsvolle en wat verblufte uitdrukking kunnen verbergen. Voor ik ook maar mijn mond kan openen, doemt Francisco achter me op en zegt op de normaalste toon van de wereld: 'Madalena en ik waren van plan iets te gaan drinken in Dock's. Waarom gaan we niet met zijn allen?'

Meteen splitst de groep zich in enthousiasten en slaperigen.

'Bedankt, maar ik val om van de slaap,' geeuwt Mariana. Tegenwoordig is het moeilijker haar het huis uit te krijgen dan een olifant te laten fietsen. Catarina is ook niet in de stemming; bovendien is Lurdes nog niet terug en wil ze de kinderen niet alleen laten. Gonçalo kijkt haar teleurgesteld aan: 'Ach, kom toch mee, eventjes...'

Uit het niets verschijnt daar een bars kijkende Bernardo, die zijn arm rond de schouders van zijn wettige echtgenote legt. En Catarina, in haar rol van teerbeminde vrouw, kruipt tegen hem aan. Luisa wil uit, en wel onmiddellijk. João zou ook best een glaasje lusten, maar Teresa snijdt hem acuut de pas af: 'Vergeet het maar, we gaan nu naar huis.'

João toont zijn typische glimlach van een levensgenieter zonder scrupules. Ik wed dat hij een slaapmiddel in haar kruidenthee doet en er midden in de nacht tussenuit knijpt om aan de boemel te gaan. Opgewekt als altijd zegt hij dat hij dan maar lekker vroeg gaat slapen en morgenvroeg gaat joggen. Ik twijfel of ik zal gaan of niet, tot ik het idee krijg om ja te zeggen en er dan tussenuit te knijpen. Ik bedank Catarina voor het etentje waarvan ik niets heb gegeten en bied Mariana een lift aan. Mariana woont hier vlakbij, in een gezellig appartementje bij Praça das Flores met een ouderwets Portugese houten vloer en zolderingen van stucwerk waarin bloemvormige ornamenten en engeltjes statisch en ongerept dansen. Het is een heerlijk huisje, met weinig meubels en midden in de kamer een voor zichzelf sprekende boekenkast vol partituren die zich daar in de loop der jaren hebben opgestapeld. Mariana is de enige persoon ter wereld met wie ik best zou willen samenwonen. Netjes, intelligent, rustig, mooi, een goede kokkin; ze heeft alles in zich om het ideale-meisjesconcours te winnen. Francisco werpt zich op om met mij mee te gaan, waardoor mijn ontsnappingsmogelijkheid vervliegt.

'Heb je geen auto?'

'Nee, sinds mijn twaalfde krijg ik die niet meer van mijn vader,' antwoordt hij met een onweerstaanbaar komische blik. We zetten Mariana af bij haar huis en ik vraag waar ik hem moet afzetten.

'Maar we gaan toch naar Dock's?'

'Nee, jíj gaat naar Dock's, want het was jóúw idee, snap je? Ík ga naar huis.' Shit, ik ben wel erg onaardig. Om het te verdoezelen vraag ik hem nogmaals of hij wil dat ik hem onderweg ergens afzet.

'Nee, dat hoeft niet, ik ga wel met je mee naar je huis en dan neem ik daar een taxi.'

'Best,' sis ik. Hij weet al waar ik werk, nu wil hij weten waar ik woon. Nog even en dan haalt hij mijn laatjes overhoop en leest de dagboeken uit mijn middelbareschooltijd, met daarin alle oninteressante details over mijn vergeefse, pathetische verliefdheid op João Carlos, de knapste jongen van het lyceum en een halve zool die met nog drie broers in een driekamerwoning in Portas de Benfica woonde. Zijn moeder was huishoudster en zijn vader verkocht snuisterijen. Ik herinner me nog de eerste keer dat ik de winkel van meneer Sousa binnenkwam, de boetiek, zoals hijzelf het noemde. Het was een schriel mannetje van anderhalve meter, met een bril die aan een dun zilveren kettinkje bungelde, een armband van massief goud, een glanzende kale kop en altijd vergezeld van een meetlint dat om zijn nek hing. Het kostte me een paar maanden om te geloven dat dit opdondertje de vader van

João Carlos was met zijn een meter tachtig lang, lichte ogen en krulhaar, die golven van collectieve verzuchtingen onder de meisjes opwekte als hij alleen maar langsliep door de gangen van het Maria Amália-lyceum. Twee jaar geleden stak hij vlak voor me over op een zebrapad en zag ik meneer Sousa terug in de gedaante van zijn oudste zoon. Hij was bijna kaal, de herinnering aan de krullen was allang vervlogen, die een meter tachtig waar ik destijds zo van onder de indruk was, kwam me nu belachelijk voor en wat me bijbleef was zijn koeienblik, de blik van iemand die is geboren zonder een atoompje intelligentie en ouder wordt met een toenemend domheidsquotiënt. Zo zijn jeugdliefdes: om nooit te vergeten of om nooit meer aan terug te denken.

Ik werd onderweg zozeer in beslag genomen door de Sousa & Zoon-saga dat het maar een haartje scheelde of ik had mijn voordeur niet bereikt. Ik keer nog net op tijd terug naar de toekomst om de Rua da Rosa in te slaan in plaats van door te rijden naar Santa Catarina.

'Woon je in Bairro Alto?' vraagt Francisco wantrouwig.

'Hoezo, zie ik er niet zo uit?'

'Ik zag je eerder voor me op een zolderetage in Lapa, maar met jou is alles mogelijk,' merkt hij op alsof hij me maar een vreemde vogel vindt.

'En jij, waar woon jij?'

'Op verschillende plaatsen,' antwoordt hij met de vage blik van iemand die met zijn gedachten elders is.

Arme Francisco, ik bied hem ook niet het minste perspectief. Hij ziet er wat verslagen uit.

'Zullen we hier ergens wat gaan drinken?'

'Goed,' antwoordt hij niet erg enthousiast. 'Bij Frágil?'

Ik ben niet zo'n fan van het mondaine Mekka van Lissabon, maar op Três Pastorinhas na voel ik me in geen enkele kroeg prettig in deze verloederde drugsbuurt waar visvrouwen midden tussen de dealers, semi-moderne modeontwerpers, autodieven, interieur- en designwinkels en stoephoeren wonen.

'Ik ga liever naar Bartis, oké?'

Met de nodige behendigheid slaag ik erin de auto te parkeren vlak bij Pap'Açorda, en het verlangen naar met tomatenrijst gevulde kroketjes doet me kwijlen.

'Als je niet zo lelijk deed zou ik je zelfs uitnodigen om morgenavond met me te gaan eten hier in Papas...' laat Francisco wat onwillig vallen. Goed dan, een dezer dagen.

We gaan binnen bij Bartis, dat nog open is. Ik bestel een coca-cola en hij een vijftien jaar gerijpte JB.

'Kunnen we nu ons gesprek hervatten waar we middenin zaten, of krijg ik dan weer een uithaal?'

'Welk gesprek,' antwoord ik ontwijkend.

'Over wie jou zo heeft gekwetst.'

'Zeg, brutaaltje, zullen we eens ophouden over mij? Vertel jij maar eens wat voor werk je doet.'

'Ik werk bij de SIS, afdeling internationaal onderzoek.'

'Ja, en nou even serieus.'

'Even serieus werk ik samen met mijn vader.'

'En wat doe je?'

'We hebben een marmerbedrijf in de Alentejo; ik ben commercieel directeur.'

'Dat is vast de saaiste baan ter wereld.'

'Ja, je zou kunnen zeggen dat ik de hele dag steentjes zit te tellen.' Hij lacht om zijn flauwe grap. Ik ben er nog niet achter of ik hem leuk vind of niet. Fysiek is hij redelijk aantrekkelijk. Zijn ogen en zijn mond vind ik leuk, maar niet zijn geheimzinnigdoenerij en zijn kleine handen. Wel zijn gevoel voor humor en zijn jongensachtige stem. Maar weer niet het feit dat ik niets over hem weet.

'Je zit te denken of je me moet vertrouwen of niet, hè? Ik heb je gisteren en vandaag al ik weet niet hoe vaak betrapt op die onderzoekende blik. Ontspan je, Madalena, ik ben heus geen menseneter. Het zou veel beter zijn als je niet zo op je hoede was.'

'Beter voor wie? Verdediging is een prima uitgangspunt, Francisco. Niemand valt mij lastig en ik val niemand lastig, ik zit lekker in mijn hoekje en leid mijn leven...'

'Maar ik wed dat je zo helemaal niet wilt leven, of wel soms? Ik ken je niet goed en ook niet slecht, zoals je zojuist terecht aanstipte, maar ik vind je leuk en je laat me niet eens dichterbij komen zodat we elkaar kunnen leren kennen.'

'Dat is niet waar. Wat er in de keuken gebeurde, bewijst het tegendeel.'

'Wat er in de keuken voorviel was het gevolg van jouw ergernis toen je me zag kletsen met Luisa, die daar zo verloren zat terwijl mijn achterlijke vriend Gonçalo besloot de dame des huizes het hof te maken en niet eens in de gaten had dat ze getrouwd was.'

'Hoezo niet in de gaten had?'

'Weet ik veel, haar man onttrok zich aan de conversatie. En aan de manier waarop Teresa naar João keek zag je meteen dat zij samen waren, hetgeen jou, Mariana en Catarina als vrijgezelle dames overliet. Gelukkig kon ik hem een seintje geven toen Bernardo de kamer binnen kwam en dat is maar goed ook, want hij stond op het punt haar uit te nodigen om iets te gaan drinken.'

'Dat is niet meer suf, da's ronduit naïef.'

'En je hebt geen idee wat een succes hij heeft bij de vrouwen!'

'Je gaat me toch niet vertellen dat je met hem uitgaat om te kijken of jij net zoveel succes hebt?'

'Ik ga met hem uit omdat hij mijn jeugdvriend is en omdat hij goed gezelschap is.'

'Maar jullie lijken zo verschillend! Waarover praten jullie de hele avond?'

'We praten niet. Mannenvriendschappen zijn heel anders

dan vrouwenvriendschappen. Wij zitten niet urenlang bij de kapper met een hoofd vol krulspelden intimiteiten te onthullen. We gaan uit om bier te drinken, te kaarten en moppen te tappen. Dat is je ware mannelijke kameraadschap. Waar het om gaat is hoe en hoezeer we ons amuseren. Het maakt niet uit of dat is met *tremoços* eten en naar de vrouwen kijken of met praten over voetbal of Formule 1. Wij zijn niet zoals jullie, die de hele dag elkaar lopen te analyseren als laboratoriummuizen.'

'Dat is niet waar.'

'Niets is méér waar, lieve schat. Zal ik je eens een beschrijving geven van de avond? Je vriendinnen organiseerden een verjaardagsetentje voor je. En ieder van jullie bracht de avond door met het nauwlettend observeren van alle andere groepsleden. Het was te zien dat jij van hen allen het meeste geeft om Mariana, dat er tussen jou en Luisa een zekere rivaliteit bestaat die kennelijk meer van haar dan van jou uitgaat, dat je, hoewel je een vriendin bent van Teresa, veel beter kunt opschieten met João en dat Catarina het heerlijk vindt om de huismoeder te spelen maar jullie alleenstaande vrouwen benijdt om de vrijheid die jullie hebben. Moet ik doorgaan?'

Ik ben sprakeloos. Ik slik en kijk op mijn horloge om te zien of hij de hint oppakt. In plaats daarvan verzacht zijn blik zich en aait hij me over mijn bol.

'En Bernardo, die waarschijnlijk best een goeie vent is, moest niets hebben van Gonçalo. Begrijpelijk, want hij is niet gewend zijn vrouw met vreemden te zien praten, vooral niet als ze ook nog jeugdvrienden blijken te zijn. João is het type dat altijd goedgemutst is, hij heeft waarschijnlijk al met verschillende vriendinnen van Teresa iets gehad, maar tegenover jou en Mariana neemt hij een vaderlijke, onberispelijke houding aan, al kan hij het niet laten jullie af en toe in de billen te knijpen. Je vriendin Luisa is een killer van het puurste soort, een roofdier dat als man geboren had kunnen zijn. Het is te zien dat ze niet gewend is om doel te missen. Toch ben jij van allen de meest evenwichtige en objectieve. Maar je hebt een of andere onverwerkte geschiedenis achter de rug. Zelfs ademhalen kost je al moeite! Iemand heeft je ooit van je zuurstof beroofd en daarom denk je dat je nog in de herstelfase zit – wat niet helemaal waar is, want het gaat best goed met je. Maar je zult wel in de gaten hebben gekregen dat het prettig is om in de verdediging te gaan, omdat ten minste niemand je dan opnieuw aanvalt.'

Francisco is dus slim, heel slim.

'Sorry als ik te direct ben, maar ik was het beu om behandeld te worden als iemand die het allemaal niet zo doorheeft. Bovendien vind ik je leuk. Ik ben graag bij je, je hebt iets wat me doet denken aan de duizenden dingen die we samen zouden kunnen doen alvorens in bed te duiken, en dat is alleen maar een goed teken.'

Ik voel me wiebelig. Ik ben naakt, ik sta bloot aan deze man die ik nog maar tweemaal heb ontmoet maar die vastbesloten is me niet te laten gaan. Hier is opnieuw iemand die in mijn leven wil stappen, iets wat ik nou juist niet wilde. Ik weet niet meer wat ik wil. Ik voel alleen dat deze man, die me zo op mijn zenuwen werkt met zijn berekenende blik en cynische lachje, me ook aantrekt en me zin geeft om me te laten gaan, achter zijn betoverende melodie aan waarmee hij me inpakt. Ik verstrengel mijn handen en hou mijn hart vast. Nog niet, het is te vroeg, ik wil me nog met niemand inlaten, ik wil alleen blijven, rustig in mijn hoekje, tot ik zelf besluit de deur weer open te zetten. En toch, ik had al heimwee naar die verlammende opwinding om iemand te ontdekken en door iemand ontdekt te worden.

Het gesprek kabbelt vlot en ontspannen voort. Ik vergeet eventjes mijn gelofte van geheimhouding en isolement en nodig hem dan maar uit voor een drankje bij mij thuis. Het is al laat en de muziek is overgegaan op de onomkeerbare, grillige tonen van de kakofonie. Ik heb zin om opgerold in mijn fauteuil te zitten en te luisteren naar de cd van Ella Fitzgerald met liederen van Cole Porter. Francisco aanvaardt de uitnodiging nadat hij heeft beloofd niet lang te zullen blijven. Als hij achter mij het gebouw inloopt, voel ik hoe zijn bloed in zijn aderen kookt en terwijl hij de drie trappen bestijgt, groeit de spanning. Ik voel hoe zijn blik de bewegingen van mijn heupen volgt en vervolgens langs mijn rug omhooggaat tot rondom mijn schouders.

We gaan in stilte naar binnen en in een tel doe ik de lichten aan en zet mijn favoriete diva op. Francisco draalt wat door de kamer, bekijkt aandachtig de wandversiering en raadpleegt met opzij gebogen hoofd de ruggen van mijn chaotische bibliotheek. De melissethee, een vast onderdeel van mijn thuiskomst, slaat hij af en hij maakt het zich gemakkelijk in mijn fauteuil. Aangezien dat mijn plekje is, dirigeer ik hem naar de bank, terwijl ik hem een whisky inschenk met twee blokjes ijs. Tja, de privileges van iemand die alleen woont. Hij gehoorzaamt en leunt tegen de rechterkant van de bank, vlak naast het tafeltje waarop, als in een galerij van herinneringen, allerlei foto's ongeordend door elkaar staan in antieke houten lijstjes die ik in de loop van jaren beetje bij beetje in allerlei obscure antiekwinkeltjes heb opgediept. Daar sta ik als vijfjarige met een glimlach van oor tot oor in mijn schoolkostuumpje, daar zijn mijn ouders op hun huwelijksdag, mijn broer en zus, mijn neefjes en nichtjes, het vaste vrienclubje, en ook wat foto's van Ricardo die ik nog niet heb opgeborgen.

'Wie is dat?'

'Mijn ex.'

Hij pakt de foto op en bekijkt hem aandachtig. Het is een op het strand genomen kiekje waarop we in innige omhelzing staan met de klassieke Prodent-glimlach van een verliefd stel, type vakantiekiekje.

'Je ziet er prachtig uit... Hij is niet Portugees, of wel?'

'Hoezo?'

'Weet ik veel, hij heeft iets Italiaans.'

'Nee, hij komt uit Baskenland.'

'Dus dit is hem!'

'Dit is wie?'

'Dit is de man die in je leven is gekomen en er niet meer uit is weggegaan.'

'Hoe weet jij dat hij niet is weggegaan?'

'Wil je nou het hele gesprek van voren af aan beginnen of denk je dat je al zover bent dat je kunt toegeven dat je ex, ik weet niet eens hoe hij heet...'

'Ricardo.'

'...dat die Ricardo je compleet uit het lood heeft geslagen en je vanwege hem niet eens oren hebt naar een luchtige, vrijblijvende verhouding?'

'Ik vroeg het omdat ik altijd graag een beetje meer wil weten over de mensen, misschien heb ik mijn roeping gemist. Ik had detective moeten worden.'

'Of portierster.'

Ik ben zijn nieuwsgierige vragen beu en ga in de aanval.

'Wat doe jij eigenlijk met alle wetenswaardigheden die je verzamelt? Schrijf je een dagboek, leg je dossiers aan of gebruik je die informatie om mensen te intimideren op het moment dat het jou uitkomt?'

Mijn mond houdt noodgedwongen stil. Francisco heeft besloten dat de beste manier om me het zwijgen op te leggen is mijn mond te bedekken met de zijne. We kroelen als twee katten over elkaar heen op de bank en opnieuw zwicht ik bijna voor de verleiding me te laten gaan, me over te geven, maar ineens boezemt zijn hijgende ademhaling boven mijn borst me angst in. Met al mijn kracht duw ik hem weg. Overrompeld verliest hij zijn evenwicht, valt op de grond en blijft zitten als een kind, met gespreide benen en zijn handen steunend op de vloer. Ik kan me niet bedwingen en barst in lachen uit. Nu ik hem voor een moment versuft zie zitten, voel ik me weer veilig. Ik reik hem de hand om hem te helpen om op te staan, maar hij slaat hem af met een bruusk gebaar. Hij is duidelijk gepikeerd. Waarschijnlijk had hij niet gerekend op een obstakel onderweg naar zijn doel. Hij kijkt me strak aan en ik merk dat hij overdenkt hoe hij zich het beste kan opstellen. Weer prevaleert de houding van het beleefde jongetje. Langzaam staat hij op, zet een stuk of wat passen in de rondte, strijkt zijn haar glad en glimlacht flauw.

'Shit... jij bent echt een ijzeren tante.'

'En jij bent echt een klier.'

'Maar jij bent dit spelletje begonnen! Nu kun je moeilijk ophouden!'

Ik kan hem niet zeggen dat het pas echt moeilijk is om verder te gaan, want opgehouden ben ik al sinds maanden, afgezonderd in mijn eigen wereldje waar niets gebeurt.

Opeens verandert hij van onderwerp.

'Ik zie dat je geen antwoordapparaat hebt.'

'Heb ik niet nodig. En bovendien voel ik me zo niet verplicht om telefoontjes te beantwoorden.'

'En als er iemand belt met wie je wel zou willen praten en hij je niet thuis treft? Zou dat niet jammer zijn?'

'Zoals wie?'

'Weet ik veel, je vriend Ricardo...'

Omdat hij doorheeft dat hij de intimiteit van mijn lakens niet in komt, is hij me weer aan het provoceren. Dit begint saai te worden. Ik drink mijn laatste slok thee.

'Ik denk dat je beter kunt gaan,' zeg ik terwijl ik hem voor alle duidelijkheid zijn jas aangeef.

'Ik ga al, maak je geen zorgen. Hoe dan ook, bedankt voor het drankje. Mag ik je een dezer dagen bellen om af te spreken voor een etentje?'

'Nee.'

Hij kust me op mijn wang, teder en lang, met iets vader-lijks.

'Goed. Ik kom nog wel langs. Ik ben echt dol op je, met dat klotekarakter van je, wist je dat...?'

En hij loopt de trap af zonder omkijken. Mechanisch zet ik de glazen in de vaatwasser en keer terug naar de lege kamer. Zo heb ik hem toch het liefst: zonder indringers of lawaai. Ik had mijn verjaardag gewoon hier moeten vieren met twee of drie intieme vrienden. Dan had ik Francisco niet hoeven te verduren en was de avond zeker minder vermoeiend geweest.

Ik maak me op om te gaan slapen. Voor ik het licht uit-maak, keer ik terug naar de kamer en berg alle fotografische overblijfselen met betrekking tot Baskenland op in een laatje. Het is uit met de nostalgie.

V

Weer een dag als alle andere. Ik moet zo'n typische 'tante' interviewen, zo een van over de veertig die binnenhuisarchitectje speelt, nachtclubachtige décolletés en micro-minirokjes draagt en zichzelf razend interessant vindt. Daarna moet ik terug naar de redactie en het eerste katern over de wekelijkse feestjes afmaken. Het heidense karwei om de heksen te selecteren die erin komen, wordt intensief begeleid door Paulo, die uitkiest wie hem van pas komen, wie hij iets verschuldigd is en wie de nieuwe doelwitten worden om aan advertentiepagina's te komen, of alleen maar aan de sympathie en het vertrouwen van de mensen. Het heeft me jaren gekost dit spelletje door te krijgen van het erin staan, erin zetten en eruit mikken van personen in de societyrubrieken. Ik dacht altijd dat niemand er wijzer van werd het doelwit van fotografen te vormen bij een society-event. De societyrubrieken zijn de enige plekken waar mensen gratis in komen. Of ze zouden een bank moeten beroven, iemand vermoorden of iets echt opmerkelijks moeten presteren, zoals een drieling krijgen. Maar door in de sterrenrubrieken te komen, krijgen mensen een bepaalde status van roem en bekendheid waar slechts zeer weinigen niet voor zwichten. Paulo, die zijn eenvoudige afkomst nooit onder stoelen of banken heeft gestoken, heeft dat al heel vroeg begrepen en is er rijk mee geworden. Eigenlijk is dit alles niet meer dan een poppenkast op een toneel van velletjes papier. Hij laat de mensen op de pagina's van het tijdschrift verschijnen of verdwijnen, als de manager van een bedrijf waarin de

wet van de afwisseling en de logische beginselen van het op-
portunisme met beleid worden gehanteerd. Meer dan een
geldmanager is hij een manager van relaties.

Op tafel liggen tientallen dia's te wachten op een kansje. Zo
langzamerhand heb ik de namen van al die mensen geleerd,
en als er me een ontglipt, herinnert onze secretaresse Mónica
zich altijd wie het is. Het belachelijkste is dat ik, behalve dat ik
ze ken omdat ik de meesten van hen al eens heb geïnterviewd
en de rest uiteindelijk op dezelfde feestjes en cocktails circu-
leert waar ik ook kom – meer een kwestie van moeten dan van
willen –, ook hun duistere kanten ken: ik weet wie er graag
luxe hoeren meenemen naar vijfsterrenhotels en wie er liever
een affaire beginnen met de vrouw van hun beste vriend. Ik
weet wie miljoenenschulden hebben bij de bank en wie wie
heeft belazerd. En ik weet dat alles omdat de mensen steeds
aankomen met verhalen over anderen, in de volle overtuiging
dat niemand hun eigen geschiedenis kent. In onze maatschappij bestaat er een soort straffeloosheid die het mogelijk
maakt dat in een bepaald milieu de gruwelijkste barbariteiten
plaatsvinden, zonder ernstige of onherroepelijke consequenties. Van tijd tot tijd breekt er een schandaal los, maar vervolgens herneemt het leven zijn gewone gang.

De ochtend vliegt om met de knip-en-plaksessie en als de
puzzel is gelegd, haal ik opgelucht adem en ga naar buiten voor
de lunch. Het is een stralende dag en ik wil even alleen zijn. Ik
ga lunchen in een café dicht bij de redactie waar ze verrukkelijke mini-pizza's hebben. Na gisteravond voel ik me verward
en tegelijkertijd opgemonterd. Ik moet steeds aan Francisco
denken en betrap mezelf op fantasieën over een rustig dineetje
met hem in Guincho. Terug op kantoor vrees en hoop ik dat hij
me vandaag weer belt, maar de middag gaat voorbij en er is
haast geen telefoon. Alleen mijn moeder belt om te vragen of
ik me heb geamuseerd, en Mariana om me uit te nodigen voor
het avondeten. Ze kwam vroeg uit het conservatorium en

kreeg een goddelijke ingeving voor caneloni met een vulling van spinazie en noten. Ik stem toe omdat ik me ondanks mijn vermoeidheid erop heb ingesteld om de avond niet alleen door te brengen, en Mariana is uitstekend gezelschap.

Mariana doet open terwijl ze haar handen afveegt aan een keukendoek waarop ik met enige moeite kleine dwergjes onderscheid met potten, pannen en ketels in de hand. De caneloni staan al in de oven en het ruikt naar *caldo verde*. Het wordt een ecologisch maal om het lichaam te reinigen en de geest te zuiveren, merkt ze glimlachend op. Er hangt iets in de lucht wat me zegt dat dit etentje een dubbele bodem heeft. Mariana heeft de tafel gedekt met de voor haar kenmerkende nauwkeurigheid en na een fles Serra d'Aires te hebben ontkurkt, gaan we plechtig zitten.

We praten over het dineetje van gisteren, de uitspattingen van Luisa, over Catarina en Bernardo, en dan komt het gesprek op Francisco.

'Ik heb wel door dat hij je niet meer laat gaan.'

'Ja, nou. En nu weet ik ook niet meer of ik wel wíl dat hij me laat gaan.'

'Wil dat zeggen dat je hem wel ziet zitten?'

'Dat wil zeggen dat ik heb besloten mijn rouw af te leggen en de dode te begraven.'

Marianne glimlacht lief.

'De dode belde gisteren om te vragen hoe het met je ging.'

'Belde hij jou?'

'Ja, om een uur of zeven, halfacht.'

'En dat vertel je me nu pas?'

'Ik wilde je verjaardag niet bederven.'

'Bederven?? Ik zou erg blij zijn geweest te horen dat hij zich toch nog herinnerde dat het mijn verjaardag was.'

'Oké, oké,' antwoordt ze sussend, 'maar ik dacht dat het je van streek zou kunnen maken. Wat had het voor jou toegevoegd om te weten dat hij had gebeld?'

'Ik weet het niet,' antwoord ik een beetje geprikkeld, 'maar als je het me gisteren niet wilde vertellen, dan maakt het nu ook niets meer uit... En, hoe gaat het met hem?'

'Wel goed, leek me... een beetje triest, maar je weet dat hij gewoon zo is. Hij zei me dat hij heimwee had naar Lissabon en erover dacht om een dezer dagen terug te komen.'

'En hebben jullie het niet over mij gehad?' vraag ik dan toch maar.

'Uiteraard. Hij vroeg me hoe het met je ging en of je iemand had. Ik zei dat het uitstekend met je ging maar dat je alleen was.'

'En hij?'

'Hij leek blij met dat antwoord.'

'En hij, heeft hij iemand?'

'Hoe moet ik dat weten? Dat soort dingen zou ik hem nooit vragen, en al helemaal niet per telefoon.'

'Je hebt gelijk. Je weet hoe het is: je construeert altijd mogelijke scenario's. Stel dat hij met een ander is? Zou hij nog aan me denken?'

'Doe niet zo kinderachtig! Als hij met een ander is, heb jij daar niets mee te maken.'

'Daar vergis je je in.'

'Hoezo? Omdat je twee jaar met hem hebt samengewoond en jullie meer dan een half jaar geleden uit elkaar zijn gegaan?'

'Nee, omdat ik denk dat ik nog van hem hou.'

'Welnee Madalena, je houdt van de goede dingen waar hij voor staat in dat romantische koppie van je. Ben je al vergeten hoe het botste tussen jullie? Weet je niet meer wat voor ruzies jullie hadden, de rookgordijnen die hij zo nodig moest optrekken rond zijn persoon? Ben je alweer vergeten dat je in twee jaar tijd nooit naar Pamplona bent geweest om kennis te maken met zijn familie en hoe geïrriteerd en woedend je daarover was? Herinner je je niet meer zijn jaloerse scènes en het gebrek aan vertrouwen dat hij in je had? Wil je dat ik die laatste jaarwisseling nog eens haarfijn voor je uitteken, toen hij dacht dat Bernardo jou probeerde te versieren en toen een scène schopte die onze avond verpestte?'

'Waar wil je naartoe?'

'Naar een simpele, duidelijke en objectieve conclusie: Ricardo is nooit de juiste persoon voor jou geweest en zal dat ook nooit worden. Hij is door je leven geraasd als een orkaan en heeft je omvergegooid. Het was een ongelukkige passie die diepe sporen heeft nagelaten en bijna een ander mens van je heeft gemaakt. Hij heeft je niets nieuws en ook niets positiefs gebracht. Je hebt niets met hem opgebouwd en toen het uitging zijn jullie niet eens vrienden gebleven, dus er is niets over behalve een handvol herinneringen. En aangezien het geheugen selectief is en het eeuwige vermogen bezit zichzelf te recycleren, herinner je je na een poosje alleen nog maar de goede dingen. Toen hij wegging slaakte je een zucht van verlichting. Zes maanden later smacht je ernaar dat hij opnieuw uit de lucht komt vallen.'

Ik schep in stilte op. Het is allemaal waar. Wat ik mis aan Ricardo is maar een klein deel van hem. Mijn geheugen heeft al het negatieve in onze relatie afgezwakt en me doen vergeten hoe het steeds moeilijker werd om met hem samen te leven, tot de tegenstelling en het onbegrip niet meer te harden waren. Maar toch hield ik van hem en bleef ik van hem houden, ook toen hij van de ene op de andere dag wegging.

'Ik snap niet waarom hij jou belde. Dat is helemaal niets voor hem.'

'Misschien miste hij je en wou hij zich tenminste op je verjaardag eens netjes gedragen.'

'Als hij me miste, had hij wel direct naar mij gebeld.'

'Ja, ja. Dus jij denkt dat hij míj misschien miste?' vraagt ze ironisch. 'Snap je niet dat het veel meer impact op jou heeft als hij een vriendin van je belt en naar je te vragen dan wanneer hij jou rechtstreeks zou bellen? Dit is weer een manier om interessant te doen, weer een tactiek om je uit je evenwicht te brengen en je aan het denken te zetten.'

'Ik dacht dat je hem graag mocht...'

'In het begin was dat ook zo. Ik vond het een fantastische vent. Intelligent, ontwikkeld, discreet, knap. Hij was dol op je, maar ik geloof niet dat je gelukkig met hem was. Er hing altijd een vreemde spanning in de lucht als hij aanwezig was. Hij observeerde ons allemaal als een wetenschapper die zijn muizen bestudeert in het laboratorium.'

'Wat overdreven!'

'Wat tijd toch doet met iemand z'n geheugen! Je bent echt vergeetachtig! Herinner je je niet hoe hij zich hier in huis gedroeg? Zodra hij binnen was, ging hij op de bank zitten en iedereen nauwlettend volgen, in stilte. Hij nam zelden deel aan het gesprek en hield zich meestal afzijdig.'

'Dat noemen ze verlegenheid. Hij was een gereserveerd iemand.'

'Het was niet alleen dat. Hij vond het niet prettig jou omringd door mensen te zien, hij leek je alleen voor zichzelf te willen hebben, alsof je een verzegelde schat was waar niemand anders van mocht genieten. Herinner je je hoe hij zich aanstelde toen ik je op een avond uitnodigde om naar het theater te gaan?'

De beschrijving door een ander van mijn eigen herinneringen leidt me af van het belangrijkste onderwerp. 'Maar wat wilde hij nou eigenlijk met dat telefoontje?'

'Hij wilde het terrein aftasten, uitvissen of je alleen bent bijvoorbeeld. Een dezer dagen staat hij bij je op de stoep.'

'Nee, hij komt niet terug. En als hij terugkomt, komt hij niet naar mij toe.'

'Natuurlijk wel. Hij heeft geen vrienden gemaakt en totaal geen contacten gelegd. Als hij terugkomt naar Lissabon, kun je er zeker van zijn dat hij bij jou komt aankloppen.'

Ik ga vroeg naar huis om de gemiste uren slaap in te halen, maar als ik ga liggen en het licht uitdoe, zie ik alleen Ricardo voor mijn geestesoog. Ik wil me hem niet herinneren, maar mijn geheugen verraadt me en voert me terug naar de beste momenten die we samen hebben beleefd. Als ik zijn telefoonnummer had, zou ik hem misschien bellen. Maar ik heb niets. Alleen herinneringen, gefilterd door nostalgie en door de tijd, als een kopie van een oude film die strepen vertoont doordat hij avond aan avond gedraaid is.

Ik val in een onrustige slaap in mijn koude, enorme bed, veel te groot voor maar één lichaam.

Voor de verandering heb ik de wekker weer eens niet gehoord en ik word kort voor tienen wakker. Dat zou niet dramatisch zijn, ware het niet dat ik om elf uur een interview heb en van tevoren langs de redactie moet om Florindo op te pikken. Ik schiet in mijn kleren en vlieg de deur uit, ren met twee treden tegelijk de trappen af. De rit naar de redactie is als gewoonlijk: *Good morning, Vietnam.* Na door twee rode stoplichten te hebben gereden, belieft het de stedelijke guerrillastrijdster haar auto dubbel te parkeren met alle vier de knipperlichten aan. Als ik binnenkom, begroet Odete me met een betrapt gezicht na haastig een telefoongesprek te hebben afgebroken. Ze heeft het gezicht van iemand die iets van me wil. Zeker een uitnodiging voor de uitreiking van de Gouden Globes. Vorig jaar vroeg ze me daar al om en ze was me eeuwig dankbaar omdat ik haar twee plaatsen kon bezorgen. Dus ze zal dit jaar wel verwachten dat ik weer een plekje onder de zon voor haar regel. Voor Odete is het feest waarschijnlijk het evenement van het jaar. Verleden jaar zag ze er absoluut afgrijselijk uit, in een jurk met oranje lovertjes en lakschoenen in dezelfde kleur. Een handtasje van brokaat met witte pareltjes maakte haar outfit compleet. Ze zag er echt zeer bijzonder uit, en dolgelukkig. Ik kan een glimlach niet onderdrukken als ik me probeer voor te stellen wat ze dit jaar voor outfit zal verzinnen voor het feest.

Florindo staat al op me te wachten. Hij is klein van stuk en heeft een dikke snor en krullend haar. Een soort grootstedelijke Sancho Panza, even rustig en bedeesd. En ik voel me al net een dona Quichota als ik denk aan het interview dat ik moet afnemen. Het betreft een voormalig minister die nu een nutsbedrijf runt en het volgens kwade tongen niet van zijn intelligentie moet hebben. De laatste tijd heeft hij een beetje in de schaduw gestaan, maar Paulo heeft zeker een of andere deal met hem, want hij heeft me met klem verzocht om hem te gaan interviewen en een aardig stukje over de man te schrijven. We komen twintig minuten te laat en meneer is al een beetje geïrriteerd. Terwijl hij me een hand geeft zegt hij dat hij om stipt één uur een lunchafspraak heeft en niet te laat kan komen. Ik neem de hint te baat om Florindo meteen aan het werk te zetten terwijl ik het gesprek begin om het ijs te breken en af te tasten of hij iets interessants heeft te melden. Gelukkig vindt niemand het erg om over zichzelf te praten, en de gebruikelijke vragen leveren al materiaal op. Florindo gaat weg en mijn gesprekgenoot belt zijn secretaresse om door te geven dat hij wat later in Gambrinus zal zijn. Kennelijk was die lunch toch niet zo heel belangrijk.

We nemen hartelijk afscheid en voor ik wegga vraagt hij me hoe lang ik al bij het tijdschrift werk.

'Sinds drie jaar.'

'En waar heb je daarvoor gewerkt?' Als antwoord geef ik een gecondenseerde versie van mijn cv, inclusief mijn vorige banen en mijn motieven om van de ene op de andere baan over te stappen.

'Interessant,' is zijn commentaar. 'Heb je nooit overwogen om persvoorlichter te worden?'

'Nee.'

'Maar zou je het ooit willen proberen? Ik ga namelijk een nieuw project opzetten hier binnen het bedrijf en ik heb mensen nodig met kennis en ervaring op het gebied van de massa-media.'

'Ik merk dat u me niet wilt vertellen wat het is...' zeg ik op vertrouwelijke toon.

'Voorlopig kan ik dat nog niet. Maar geef me vast je kaartje. Over een week bel ik je.'

Nog een handdruk en ik keer terug naar de redactie. Het is halftwee en ik stop niet voor ik de laatste drie katernen af heb. Ik heb wel zin om naar de bios te gaan; en er draait een nieuwe film met Mel Gibson. Luisa, deskundig in die materie, wil de film ook zien en ik bel haar om een afspraak te maken voor morgen aan het eind van de middag. Ze accepteert gretig, maar eerst bestookt ze me met grapjes en vragen omtrent Francisco. Ik zwijg in alle talen.

'Morgen vertel ik je alles.'

'Is goed hoor,' antwoordt ze, met haar hoofd alweer bij iets anders. 'Maar wel alleen naar de film, want daarna heb ik een blind date met een neef van een collega van me hier op het bureau, een etentje in Bairro Alto.'

'Een blind date? Ben je gek geworden?'

'Nee hoor, ik heb niets te doen en ik wil weleens wat anders.'

'En onze Gonçalo dan? Is het alweer gedaan met die banaan?'

Ik breek het gesprek af en hang op omdat Paulo zojuist geruisloos de kamer is binnengeslopen.

'En, hoe ging het interview?'

'Je weet toch dat het bij mij altijd goed gaat.'

'Maar vond je hem aardig?'

'Laten we zeggen dat ik hem niet onaardig vond.'

'Weet je van zijn nieuwe project?' Paulo wrijft zich in de handen. 'Heeft hij het daarover gehad?'

'Hij heeft me niet verteld wat het was, hij vroeg alleen of ik persvoorlichter zou willen worden...'

'En wat heb je geantwoord?'

'Niets. Zoiets is nooit bij me opgekomen.'

'Als ik jou was, zou ik er eens over nadenken. Het is waarschijnlijk best te combineren met je werk hier en je krijgt er immens veel contacten mee.'

Paulo en de contacten. Daar verdient hij zijn geld mee, daar draait zijn bestaan om en dat is zijn levensdoel. Waarschijnlijk vindt hij het allang best als ik minder tijd hier ben, als ik hem maar de goede contacten bezorg als ik persvoorlichter van die man ben. Paulo trommelt met zijn vingertoppen op tafel en staat op.

'Laat me weten wat je besluit, goed?'

'Goed, Paulo, maar ik weet niet of ik het aanneem, en bovendien weet ik niet eens of het wat wordt of niet.'

'Natuurlijk wel. Daarom heb ik jou ook gevraagd om dat interview te doen en niet iemand anders.'

Kennelijk is Paulo op de hoogte van alles wat er speelt. Hij bezit de vooruitziende blik die hem tot zo'n uitstekende zakenman maakt. Hij zou zeep, computers of wat dan ook kunnen verkopen. Zijn keus is gevallen op het verkopen van andermans imago, maar volgens mij heeft hij nu iets anders in de zin. Om hem te ergeren toon ik me opzettelijk totaal niet geïnteresseerd in het project.

'Gaan we dat verdomde katern nog afmaken?'

Paulo stemt in en de hele middag heeft hij het er niet meer over. Zo tegen zeven uur komt Odete binnen, behoedzaam als een krab. Ik had haar al een paar keer bij de deur van mijn kantoor zien rondhangen, maar ze wachtte zeker op het juiste moment.

'Mag ik binnenkomen?'

'Ja hoor. Wat doe je hier nog? Je gaat altijd om klokslag zes uur de deur uit om de boot niet te missen...'

'Vandaag ga ik niet naar huis... ik heb een afspraak.'

'Dat ruikt naar romantiek...'

'Zoiets. Het is iemand die ik bij toeval heb leren kennen en die kennelijk geïnteresseerd in me is. Hij heeft me al drie keer gebeld om me uit te nodigen voor een etentje...'

Ze is er zichtbaar opgewonden over, hoewel ze het uit alle macht probeert te verbergen.

'En, wat wil je van me? Je ziet eruit alsof je me iets wilt vragen.'

'Ik zou graag je horloge willen lenen.'

'Welk horloge?'

'Dat je altijd om hebt.'

Ik kijk haar strak aan. Odete vraagt mijn horloge te leen. Mijn geliefde Hublot. Zomaar. Alsof een horloge iets is wat je uitleent, en alsof ze een oude vriendin van me is. De stilte hangt zwaar in de lucht en Odete krabbelt terug.

'Sorry, ik had het uit mijn hoofd moeten laten je dat te vragen. Niet dat ik hem van je wil pikken of zo...'

'Je wilde een flitsende indruk maken op die kennis van je, hè?'

Odete is nu vuurrood en ze haakt haar vingers in elkaar. Ze heeft spijt van haar vraag maar weet niet hoe ze zich uit de situatie moet redden. Haar rechterbeen dat over het andere is geslagen brengt een gulle dij in zicht en haar te ver openstaande blouse staat strak tussen de knoopjes. Als je wat beter kijkt, kun je zelfs het borduursel op haar beha vrij nauwkeurig onderscheiden.

'Nou, Odete, neem me niet kwalijk hoor, maar met zo'n korte minirok en zo'n strak bloesje aan hoef je niet te denken dat een man de moeite neemt om te kijken wat voor horloge je om je pols hebt!'

Ik zei het niet om haar te pesten, maar Odete is gekwetst.

'Dat hoef je nou ook weer niet zo te zeggen...'

'Maar het is de zuivere waarheid! Je bent *dressed to kill*, wat verwacht je dan?'

'Maar ik ga niemand killen!'

Ik was even vergeten dat Odete geen dubbele bodems snapt.

'Nee, Odete, *Dressed to kill* is de titel van een film, snap je? Het is gewoon een uitdrukking om te zeggen dat je er nogal pikant uitziet.'

'O, oké, dat had ik niet begrepen.'

Mijn directe lijn gaat over. Het is Bernardo om te vragen of ik bij hen thuis wil komen eten, omdat hij een *gruwelijke* vergadering heeft en Catarina er *een beetje* van baalt om alleen te zitten. Die gruwelijke vergadering klinkt als een vierkante leugen en dat beetje balen van Catarina als een eufemisme.

'Vindt die vergadering misschien plaats in een hotelkamer?'

De stilte aan de andere kant begint pijnlijk te worden.

'Waarom vraag je dat?'

'Omdat ik denk dat je smoesjes zit te verzinnen om de een of andere meid te kunnen naaien.'

Zo, die zit. Deze keer krijgt hij het recht voor zijn raap.

'Jezusmina, Madalena!...'

'Wat nou jezusmina? Als jij de boel wilt verzieken, ga je gang, maar laat mij er alsjeblieft buiten.'

'Ik ga helemaal niemand naaien, ben je gek geworden?'

'Jíj bent zeker gek geworden,' antwoord ik geïrriteerd. 'Ik heb niets te maken met jouw leven, maar shit, ik erger me al een hele tijd aan wat je Catarina allemaal aandoet.'

Ik zou willen dat hij nu voor me stond. Ik ken hem al te lang om me te vergissen.

'Het is helemaal niet wat je denkt.'

'Ik dénk niet, Bernardo, ik zíé alleen maar, en wat ik de laatste tijd zie staat me niet aan.'

'Maar je hebt niets gezien!'

'Dat hoef ik ook niet.'

Er valt weer een lange stilte en ik wacht opnieuw tot hij hem verbreekt.

'Goed, maar je kunt toch bij Catarina gaan eten, of niet?'

'Loop naar de hel.'

Pas nadat ik heb neergelegd merk ik dat Odete niet meer tegenover me zit. Ze is er als een haas vandoor gegaan.

VI

'Herinner je je dat gesprek dat we laatst met z'n allen hadden bij Mariana thuis?'

'Welk gesprek? Dat over niet meer opgewonden raken?'

'Precies,' antwoordt ze terwijl ze zich langzaam op de bank laat zakken, die bekleed is met donkerblauwe chintz met piepkleine bloemetjes.

Catarina had de kinderen naar bed gebracht na een nogal rumoerig maal waarbij de twee streken uithaalden en werden overvallen door dwangmatige en niet te stuiten giechelbuien. Na het lawaai heerst nu de stilte, slechts begeleid door de nocturnes van Chopin, heel zacht om niet het gesprek te verstoren dat ik al voelde aankomen.

'Weet je, ik geloof dat ik helemaal niets meer voel voor Bernardo.' Ze zucht terwijl ze een sigaret opsteekt. Catarina rookt zelden, maar als ze zich zorgen maakt, is het bijna een reflex om er een op te steken.

'En is het al lang zo?'

'Zo'n beetje drie maanden. Maar hetzelfde is al eens vaker gebeurd.'

'Wanneer voor het eerst?'

'Nou, de eerste keer was toen ik erachter kwam dat hij een affaire had. Hij kwam na een zakenreis van de bank terug uit Genève met een verdwaald slipje tussen zijn vuile was. Toevallig was Luisa er die dag niet en stopte ik de was in de machine, en toen viel mijn oog op dat ding tussen zijn sokken en overhemden.'

'Hoe reageerde hij?'

'Hij ontkende alles, natuurlijk. Hij gaf alleen toe dat hij die nacht een prostituee had opgepikt toen ik erover begon, nadat we de kinderen naar bed hadden gebracht.'

'En jij?'

'Nou ja, eerst was ik volkomen verbijsterd. Vervolgens werd ik nijdig, ik zei hem dat ik zoiets ontoelaatbaar vond, ik raakte buiten mezelf, schold hem de huid vol, huilde, je kent dat wel, het soort scène dat je maakt als je onverwachts met zo'n situatie geconfronteerd wordt.'

'En daarna?'

'Daarna, een tijdje later, werd ik opnieuw met mijn neus op de feiten gedrukt toen ik hem op een dag ging ophalen bij de bank en hij naar buiten komt lopen met Judite, zijn secretaresse in die tijd. Ik had het idee hem mee uit lunchen te nemen, kun je nagaan! En die vent komt naar buiten met dat meisje, een en al charme en glimlachjes! Ik ben ze in de auto gevolgd tot Guincho en pas gestopt bij Porto de Abrigo, waar zijne excellentie met zijn werkneemster ging lunchen. Ik wachtte tot ze binnen waren en vijf minuten later vroeg ik een ober om een briefje naar hun tafel te brengen. Ik ben er snel vandoor gegaan en met tweehonderd kilometer per uur teruggekeerd naar Lissabon. Dat gaf me een kick, je hebt geen idee!'

'En wat stond er op het briefje?'

'Zoiets als: "Je mag mij af en toe ook wel eens hiernaartoe meenemen voor de lunch." Dit keer ontkende Bernardo het niet. Waarschijnlijk dacht hij dat oprechtheid een goed wapen was om mij te bewerken. Hij vertelde me dat hij sinds kort iets met het meisje had en er eigenlijk een punt achter wilde zetten, zo'n typische rotsmoes. Ik vertelde hem dat ófwel het mens niet meer zijn secretaresse was, ófwel hij niet meer mijn man was. Hij antwoordde dat hij het begreep en het ook terecht vond. Toen heeft hij een of andere vriend gebeld en de secretaresse naar hem doorgeschoven. Ik heb besloten het onderwerp nooit meer ter sprake te brengen.'

'Hoe lang is dat geleden?'

'Ongeveer drie jaar. Maar ik voelde me er echt rot door, weet je, ik vond mijn man een hufter, zo'n onverbeterlijke klootzak. Ik begon te twijfelen aan alles wat hij tegen me zei, doorzocht zijn portemonnee op bonnetjes of ander belastend materiaal, ik had geen rust meer.'

'En heb je niets meer ontdekt?'

'Ja, nu, pas geleden, heb ik ontdekt dat hij iets heeft met een ander. Laatst kreeg ik een rekening van zijn mobiele telefoon onder ogen, en op het gespecificeerde overzicht staat een nummer van de overkant van de rivier dat begint met twee en nog iets. Hij belt haar elke dag 's ochtends op zodra hij het huis uit is en zelfs in het weekend, als hij 's ochtends de krant gaat kopen.'

Ik sla mijn hand voor mijn mond om er niet te dom uit te zien. Dus in feite heeft Catarina altijd geweten wat er al die jaren aan de hand was en waren wíj de naïevelingen, te denken dat het beter was haar niets te vertellen. Om tijd te winnen sta ik op en zet een andere cd op met het excuus dat Chopin zo deprimerend is, en na even aarzelen zet ik ten slotte een cd van Billie Holiday op, ook een beetje triest, maar het leidt tenminste de aandacht af. Ik begin wat onsamenhangend te stamelen.

'Tjee... eigenlijk... deze verhalen zijn een beetje eigenaardig... ik weet niet hoe je het volhoudt...'

Catarina steekt nog een sigaret op.

'Ik houd het vol omdat ik voor het leven getrouwd ben, omdat hij de enige man was en nog steeds is met wie ik naar bed ben geweest, omdat ik een gezin wil en de kinderen een thuis wil geven, stabiliteit, papa en mama onder hetzelfde dak, en ze het gevoel wil geven dat er in deze chaotische wereld nog waarden bestaan die boven alles verheven zijn.'

'Zelfs boven jezelf,' fluister ik. Catarina glimlacht flauwtjes, een trieste, murwe, bijna grauwe glimlach.

'Ooit, als je kinderen hebt, zul je begrijpen hoe alles verandert. Zij worden het belangrijkste in je leven en niet jijzelf. Je houdt op met aan jezelf, door jezelf en voor jezelf te denken. Je gaat van hen uit denken. En ongewild hou je op met jou te zijn, of althans, je houdt op te zijn wie je was. Je bent niet meer alleen vrouw, je bent nu ook moeder. Als het leven tegenzit, hou je zelfs op vrouw te zijn en beetje bij beetje raak je gewend aan dat idee.'

'Wat wil je daarmee zeggen?'

'Ik wil zeggen dat je je niet langer sexy, aantrekkelijk, jong voelt... Maar dat maakt je ook niets uit, omdat je zoveel te doen hebt en zoveel aan je hoofd hebt dat alles wat vroeger belangrijk was, je niet meer interesseert.'

'Maar wat je zegt is verschrikkelijk, afgrijselijk...!'

'Hoezo? Denk je dat het niet belangrijker is aan de hypotheek van het huis te denken dan aan avontuurtjes en affaires? Dat het niet meer waarde heeft dagenlang op zoek te zijn naar de beste school in plaats van diezelfde tijd in de winkels door te brengen op kledingjacht? Denk je niet dat het nuttiger is op zondagochtend je kinderen mee naar het park te nemen om te spelen dan de weekbladen te lezen en tussen de lakens te liggen rollebollen? Toen Bernardinho werd geboren was het alsof mijn leven opnieuw begon. Ik vergeet nooit toen ik hem voor het eerst zag, helemaal gerimpeld, piepklein opgekruld, met dat schattige babyhuiltje... En daarna met Diogo was het hetzelfde. Ze hebben me ingepakt, Madalena, ze hebben de macht over mijn leven overgenomen, en als ik nu naar ze kijk voel ik mijn liefde voor hen nog steeds groeien, niet te stuiten, en niets van dat alles jaagt me angst aan, integendeel, het geeft me meer kracht om te vechten en door te leven, al is Bernardo zoals hij is...'

'Maar dat is een vorm van affectieve compensatie, je kunt je toch niet neerleggen bij zo'n leven!'

'Waarom niet? Kijk om je heen. Wat zie je? Een voorbeeldige gezinswoning, georganiseerd, schoon opgeruimd, met smaak en liefde ingericht...'

'Nee Catarina, wat ik zie is een vrouw die wordt platgewalst door haar situatie en niets doet om daar verandering in te brengen!'

'Wat voor situatie? De situatie van een vrouw die met een hufter is getrouwd? En in wat voor situatie leef jij dan wel? Je bent bang om compromissen te sluiten, maar alleen leven wil je ook niet meer. Je wilt een gezin maar je bent niet in staat je leventje af te zweren, voor wie of wat ook. En kom me nu niet aan met dat geklets over emancipatie; je hoeft maar te kijken naar jou, Mariana en Luisa. Jullie lijden alledrie op je eigen manier onder jullie positie van geëmancipeerde vrouw. Mariana is een slavin van haar eigen gemakzucht; alles vermoeit haar, verveelt haar en maakt haar slaperig. Luisa is net een krolse kat, die alles bespringt wat los en vast zit. Jij weet niet eens wat je wilt en intussen loop je te smachten naar Ricardo, die ervandoor is. Herinner je je niet meer hoe beu je hem was toen jullie samenwoonden? Je hebt me zo vaak gezegd dat je hem niet meer kon velen, dat hij onuitstaanbaar was, maar toen hij wegging was je er kapot van. Dus je ziet, jouw leven, jullie leven, is niet gemakkelijker dan het mijne, alleen lichter en leger. Jullie zijn ervan overtuigd dat emancipatie betekent dat je alles kunt doen wat er in je hoofd opkomt. Maar uiteindelijk bouwen jullie niets op.'

Ik voel hoe een verpletterend zwijgen bezit van me neemt. Ik zou in de tegenaanval kunnen gaan, haar voor de voeten kunnen werpen dat ze alleen maar jaloers is op onze vrijheid, maar ik weet dat dat niet waar is. Voor haar is vrijheid geen kostbaar goed, aangezien ze er nooit de ware smaak van heeft geproefd. Ze is van onder de vleugels van haar vader naar die van Bernardo gegaan, ze heeft niet eens de tijd gehad om erachter te komen hoe het leven buiten is. Ze is als een kind dat nooit broers of zussen heeft gehad. Niemand kan voelen wat hij heeft gemist als hij het niet eerst heeft gehad.

'Misschien heb je gelijk, maar dat rechtvaardigt niet de situatie waarin je je bevindt. Niemand vindt het prettig om te worden bedrogen.'

Dan merk ik dat Catarina op de bank is ineengekropen en met gebogen hoofd, het gezicht in haar handen verborgen, zachtjes, krampachtig begint te snikken, een zwakke, hulpeloze jammerklacht, teruggetrokken in zichzelf.

'Toe nou, niet huilen... Vind je dat hij het waard is dat je dit doormaakt?'

'En jij, vind jij dat ik verdien wat ik doormaak? Shit, ik heb mijn studie om hem afgebroken, ik heb alles gedaan om hem een gelukkig gezin te geven, en waarvoor? Zodat hij vreemd kon gaan? Ben ik dan zo onaantrekkelijk en oninteressant?'

'Het ligt niet aan jou, maar aan hem, snap je dat niet? Je moet je niet naar beneden laten halen, niet in zijn ogen en ook niet tegenover jezelf. Een man die vreemdgaat, doet dat onafhankelijk van zijn gevoelens voor de vrouw met wie hij leeft. Bernardo is gewoon zo, het zit hem in het bloed. Hij is een roofdier. Voor hem zijn vrouwen jachttrofeeën, je zult zien dat dat met die meid gewoon weer net zo'n onbetekenend verhaal is als die anderen...'

'Maar als het onbetekenend is, waarom belt hij haar dan iedere dag, waarom belt hij haar in het weekend, waarom zit hij tot over zijn oren in die shit en sleept hij mij erin mee? Waarom heeft hij geen respect voor zijn kinderen en zijn gezin?'

Catarina is nu helemaal overstuur, ze praat hard en verward, ze gebaart woest en begraaft haar vingers in haar haar alsof ze hele plukken wil uitrukken. Ten slotte legt ze haar hoofd op mijn knieën en huilt enkele minuten met heftige schokken. Op de achtergrond zingt Billie Holiday ironisch door: *You can't be mine and someone else's too, some day you'll find I have been a friend to you...*

Wat me het verdrietigst maakt is niet dat Catarina eronder lijdt, het is dat de vrouwelijke conditie altijd zo geweest is. De rotstreken van mannen verdragen. Dit is allemaal zo afgezaagd, zo gruwelijk afgezaagd en onweerlegbaar.

Enigszins verontrust keer ik terug naar huis. In stilte rijd ik door de verlaten, bijna spookachtige stad. Door mijn hoofd gaan tientallen losse en tegenstrijdige ideeën omtrent ons gesprek. Haar weerzin jegens ons heeft me geschokt. Haar kritiek was hard en terecht. En hier ga ik weer, terug naar huis, klaar om mijn melissethee te drinken en in mijn lege, stille bed te kruipen. Ik hou van niemand, er is niemand in mijn leven die ertoe doet. Ricardo is slechts de schaduw van een herinnering die door toedoen van de tijd is verzacht. En er is Francisco. Maar nee, ik hou niet van hem. Ik hou van zijn gezelschap, dat is alles. *To be in love with* en *to love to be with* is niet hetzelfde en zal dat ook nooit worden. Misschien was ik niet graag samen met Ricardo, maar ik hield immens veel van hem, ondanks al zijn tekortkomingen. Ik hield van hem en we hadden een gezin kunnen vormen. Wat ik met Francisco wil is geborgenheid, gezelligheid en misschien wat seks, mits goed, luchtig en bevrijdend. Meer niet. Misschien wil ik dat hij van mij houdt. Wat Ricardo niet deed. Of, als hij wel van me hield, wat bracht hem er dan toe om weg te gaan en, erger nog, definitief uit mijn leven te verdwijnen?

Voor ik in slaap val, neem ik een beslissing, misschien de enig zinnige van deze avond. Ik ga met Bernardo praten. Dit kan zo niet doorgaan, in elk geval niet in mijn passieve medeplichtigheid.

VII

Goeiemorgen slaapkonijn, het zonnetje schijnt door het gordijn, zei mijn oma altijd als ze me kwam wekken; de zon kwam dan al door de jaloezieën naar binnen, tijdens die eindeloze vakanties in het landhuis die half juni begonnen en pas eind september eindigden en waarin het altijd weekend was. Nu voel ik op vrije dagen als deze, vol zon en luiheid, heimwee naar haar. Vaak denk ik terug aan oma Helena, aan haar snelle tred en levendige blik, altijd klaar om met haar kleinkinderen uit wandelen te gaan in Campo Grande, dat in die tijd nog niet een verloren groen eilandje tussen twee snelwegen was. Als ze niet in het landhuis was, had ze een dwingende behoefte om groen te zien, en de parken waren haar liefste toevluchtsoord. Het werk van mijn opa in de overzeese gebiedsdelen dwong haar te verhuizen telkens wanneer de plicht riep. Ze woonde in meer dan dertig huizen en toen opa met pensioen ging, vestigden ze zich met z'n tweeën in het landhuis, waar ze de rest van hun dagen doorbrachten. Oma probeerde nog een boek te schrijven met de titel *De huizen waarin ik heb gewoond*, maar dat heeft ze nooit afgekregen. Met de wijsheid eigen aan oude mensen zei ze altijd dat wie leeft, niet schrijft en wie schrijft geen tijd heeft om te leven. Haar memoires bleven onvoltooid, maar ze heeft haar kinderen en kleinkinderen haar geestkracht en levensvreugde nagelaten. Ze zeggen dat ik het kleinkind ben dat het meeste op haar lijkt. Uiterlijk en innerlijk. Maar dat is niet waar. Als ik zoveel op haar leek, zou ik een veel gelukkiger mens zijn. Zoals mijn neef Zé Miguel, die altijd een lach op zijn gezicht heeft en als geen ander de zon-zijde ziet in de ergste situaties. Wij waren altijd haar favoriete kleinkinderen. Misschien komt het daardoor dat wij tweeën van jongs af aan zo'n band hebben. We hebben afgesproken om zondag uit eten te gaan, want op maandag keert hij terug naar Seattle en dan komt hij pas in augustus weer terug in het Lusitaanse land. Soms ben ik jaloers op Zé Miguel, die in Lausanne heeft gestudeerd en in Londen, Parijs en Milaan heeft gewoond alvorens naar de Verenigde Staten te gaan. Zé Miguel heeft nooit enige vorm van gevangenschap gekend. Hij is altijd volledig baas over zijn eigen leven geweest. Hij is nooit getrouwd en heeft geen kinderen. Aan zijn eindeloze sliert van veroveringen, op het saaie af, heeft hij uitstekende vrien-dinnen overgehouden met wie hij nog steeds goed kan op-schieten, in een mengeling van verstandhouding en een broe-derlijk gevoel. Ik ben jaloers op zijn leven in het buitenland en zijn reizen. Maar nog jaloerser ben ik op zijn enorme hart, zo groot als de wereld, waarin alle vrouwen passen van wie hij ooit heeft gehouden, zonder dat een van hen definitief in zijn leven komt en zich er installeert, wat ons, gewone stervelin-gen, altijd wél gebeurt.

Ik laat mijn geest dwalen over deze en andere onderwerpen terwijl ik een van mijn lang-weekendrituelen uitvoer. Zorg-vuldig beklop ik iedere centimeter van mijn gezicht met een witte, kleffe en geurige crème die luistert naar de naam Huid-masker. Volgens de bijsluiter reinigt deze de huid diep door de poriën te openen en de zuurstoftoevoer naar de cellen te be-vorderen. Goed hoor, ik blijf wel lekker stilzitten, tien minu-ten zoals voorgeschreven, en wacht tot de huid gereinigd is door de balsem. Ik heb nog niet één rimpel, maar zie nou al op tegen de ouderdom. Ik ben bang dat ik het niet voor elkaar krijg om op een goede manier oud te worden, zoals mijn moeder, die haar eerste grijze haren aanvaardde alsof het om highlights ging. Pas na haar zestigste ging ze ertoe over de grijze lokken te verhullen door ze te vermengen met blonde. Ze heeft al wat rimpels in haar gezicht en hier en daar een ouderdomsvlek. Maar ze ziet er prima uit, gewoon omdat ze er niet eens over nadenkt. Alleen foto's maken haar verdrietig, want daarop, en alleen daarop, ziet ze er zo oud uit als ze is. In het dagelijks leven is ze nog steeds jong, energiek, lenig. Ze heeft tijd en geduld voor alles. Ricardo vond een van mijn grootste problemen altijd dat ik mijn familie te zeer op een voetstuk plaatste. Hij zei dat ik mezelf daarmee tekort deed. Altijd maar weer Ricardo in mijn gedachten. Dat verraderlijke geheugen, dat de man bij me terugbrengt die niet van me kon houden en voorgoed uit mijn leven verdween. Ik herinner me de ruzies en meningsverschillen al niet meer. Ik ben al vergeten hoe treurig het was dat we samen niet gelukkig konden zijn. Mijn geheugen brengt me alleen de goede momenten, zijn treffende observaties en zijn intelligente opmerkingen. Ik herinner me niet meer wat een hatelijk gezicht hij kreeg als hij zich in zichzelf opsloot in een diepe, donkere en ondoordringbare grot. Ik herinner me alleen zijn open, oprechte glimlach en zijn zachtmoedige blik waar ik helemaal in paste.

Toen oma Helena stierf, was Ricardo er altijd voor me. Eerst bij de wake, daarna bij de begrafenis, maar ook later, als ik telkens weer naar het kerkhof wilde om de dode een handvol gele margrietjes te brengen en ondertussen tegen de aarde te praten, en mijn hart uit te storten, precies zoals ik deed toen oma nog leefde. Ricardo was er altijd, stil en solidair wachtend tot ik terugkwam in de realiteit, zonder ooit wrevelig te worden over mijn zwijgzaamheid, sereen en troostend.

De draad van mijn herinneringen wordt verbroken door het storende geluid van de telefoon. Het is Luisa met de vraag wat ik ga doen. Vrije dagen zijn gewoonlijk een staat van ongenade voor degenen die alleen wonen, vooral voor hen die niet kunnen stilzitten en altijd iets te doen moeten hebben.

'Het is pas elf uur in de ochtend,' protesteer ik.

'Wat ben je aan het doen?'

'Ik heb een masker op. En jij?'

'Ik ben al gaan koffiedrinken, ik heb alle weekbladen gekocht en ik zat erover te denken om in Caparica te gaan lunchen. We zouden naar dat restaurantje vlak bij het strand kunnen gaan, waar ze van die verrukkelijke venusschelpen hebben, en een beetje zonnebaden...'

Ik kijk uit het raam maar de lucht vertoont niet de juiste kleur voor weekenduitstapjes.

'Het is niet zulk goed weer... zullen we naar de film gaan?'

'Heb je haar weer met haar filmmanie. Iedere keer als we uitgaan is het naar de bioscoop.'

'Tja, ík verslind films en jíj mannen, dus je ziet, het is maar een gewoonte als alle andere...'

'Daar spreekt onze Baskische weduwe. Wat jij nodig hebt is minder films en meer van dat andere... Hoe zit het trouwens met Francisco?'

'Geen idee,' antwoord ik laconiek. 'Maar als je dat wilt weten kan ik je wel zijn telefoonnummer geven.'

'Hoeft niet, heb ik al. Ik heb het aan Gonçalo gevraagd alvorens hem de laan uit te sturen. Trouwens, ik had best zin om hem te bellen, maar ik wil niet met hem praten voor ik weet in welke fase jullie je bevinden.'

'Wij bevinden ons in geen enkele fase, want er is niets tussen ons. Wat mij betreft, ga je gang. Als je nog een Francisco aan je collectie wilt toevoegen: succes ermee!'

'Daar hebben we het nog wel over. Eigenlijk is hij niet echt mijn type, fysiek bedoel ik. Maar hij lijkt me goed gezelschap en ik hoef nou ook weer niet zonodig met iedereen naar bed!'

Ik hou van Luisa omdat ze zo direct is en niets achterhoudt. Als ze een oogje op Francisco had, zou dat het eerste zijn wat ze tegen me zei. Maar in feite is ze alleen uit op gezelschap.

'Laten we dan maar naar Caparica gaan.'

'Oké. Ik kom je om één uur halen, goed?'

'Ja, tot zo.'

Als alle vriendinnen zo waren, zou het leven van een vrouw heel wat gemakkelijker zijn. Luisa heeft zeker haar tekortkomingen, maar bij haar is alles uitgesproken, ja of nee. Misschien zou het goed voor haar zijn een man tegen te komen als Francisco, die haar van repliek kan dienen en haar soms als een vrouw behandelt. Door haar onafhankelijkheid en ambitie wordt ze steeds mannelijker. Zij deelt de lakens uit, zij wikt en beschikt. Ik moet me al heel sterk vergissen of het is dit type vrouw dat er het meest naar hunkert een sterke man op haar pad te krijgen die haar in toom houdt. En misschien zou Francisco daar wel toe in staat zijn. Grappig. Toen hij laatst bij Catarina thuis met haar zat te flirten om mij te pesten, baalde ik. Maar dat was alleen maar gekrenkte trots. Ik hou niet van hem. Misschien zou ik van hem willen houden, maar het is niet zo. Ik heb geen democratisch hart zoals Zé Miguel. Bij mij past er maar één persoon tegelijk in.

De telefoon gaat opnieuw.

'Goedemorgen, mevrouw. U spreekt met de marmerspion... Hoe maakt Uwe Excellentie het?'

'Slecht; ga me niet vertellen dat Luisa je al heeft gebeld...'

'Luisa? Waarom zou die me bellen? Ik ben net wakker en ik wilde weten hoe het met de meest Portugese Baskische weduwe van Portugal gaat.'

'Goed, dank je.'

'Wat ga je vandaag doen?'

'Ik ga in Caparica lunchen met Luisa. Een vrouwenuitje, verboden voor mannen.'

'Al goed, al goed. Ik zou heus mezelf niet uitnodigen.'

'Met jou weet je maar nooit.'

'Goed... en vanavond, heb je zin om ergens te gaan eten? Ik heb een heerlijk restaurantje ontdekt van een paar Zweden in Cais do Sodré, waar je een goddelijke chocolademousse krijgt...'

Het woord 'mousse' stimuleert onmiddellijk mijn smaak-
papillen.

'Komen er nog meer mensen?'

'Dat hangt van jou af. Je zou João en Teresa en Mariana
kunnen inseinen, bijvoorbeeld. Of we kunnen een tête-à-tête
houden, wat zeg je ervan?'

Het lijdt geen twijfel dat Francisco een slimme jongen is. Al
pratend over wie al dan niet komt, is hij er al van uitgegaan
dat we uit eten gaan. Best, ik zal hem niet tegenspreken.

'Vervolgens zouden we naar de nachtvoorstelling kunnen
gaan van die film met Julia Roberts...'

'Oké, je hebt me al overtuigd.'

We spreken om negen uur af in het restaurant. Dat vind ik
prettiger, zo houd ik hem in elk geval uit de buurt van mijn
voordeur. Komt hij aan het eind van de avond tenminste niet
aan me klitten onder het voorwendsel van een lift naar huis.

Luisa arriveert stipt op de afgesproken tijd en we zetten
koers naar Caparica. Tijdens de rit legt ze me uit waarom ze
haar Honda v-tec gaat inruilen voor een BMW cabriolet. Ze
wil de zomer in stijl beginnen. Ze probeert me nog over te halen om de voorstedelijke variant van de Ferrari te kopen die
volgens haar helemaal perfect is, 'dan ruil je die kleurloze Golf
in en heb je een originelere, modernere auto, lijkt je dat niet te
gek?'

Het heeft geen zin haar uit te leggen dat ik het juist fijn vind
dat mijn Golfje discreet, grijs en precies eender als duizenden
andere is. Vervolgens probeert ze me over te halen om een
week naar de Caraïben te gaan voor een topvakantie. Ik leg
haar uit dat ik vanwege het tijdschrift niet eens weet wanneer
ik vakantie heb, en dat de Caraïben bovendien een paar nul-
len boven mijn vakantiebudget liggen. En dan dringt het tot
me door dat ik nog niet eens aan de vakantie heb gedacht,
omdat ik niemand heb om mee te gaan. Verleden jaar ben ik
naar de Dourovallei geweest met Ricardo. Het was september,

de rivier leek wel handgeschilderd door een geniale Italiaanse meester uit de Renaissance, en de wijngaarden waren zwaar van de druiventrossen. We maakten urenlange wandelingen, heuvel op, heuvel af, het eigendomsrecht met voeten tredend zonder ooit bang te zijn dat we een boete zouden krijgen. We doorkruisten verschillende landerijen en 's nachts, in wereldse bedden in immense slaapkamers van graniet en reusachtige gordijnen van fluweel, bedreven we de liefde met meer liefde dan ik ooit voor mogelijk had gehouden...

'Zeg, je hebt helemaal niet gehoord wat ik net tegen je zei, of wel?' Luisa wuift met haar hand op enkele millimeters van mijn ogen alsof ze mijn herinneringen wil uitwissen.

'Sorry. Ik dacht terug aan mijn vakantie vorig jaar in de Dourovallei met Ricardo.'

'Ricardo, altijd en eeuwig Ricardo! Zet je die vent nou nooit eens uit je hoofd? Snap je dan niet dat je je leven nooit op de rails krijgt als je daar niet overheen komt? Als ik was zoals jij, zat ik nu nog te treuren om Pedro, Luís, Carlos, je neef Zé Miguel, Jorge, Filipe, Manel en weet ik hoeveel nog meer!'

'Hou dat soort vergelijkingen maar voor je. Jij gooit alles op één hoop, voor jou is elke man gewoon de zoveelste, die ertoe dient om je de vorige te laten vergeten en in balans te komen voor de volgende. Je hebt van geen van hen gehouden, anders had je niet de energie gehad voor zovelen, zie je het verschil niet? Ik heb ook verschillende mannen gehad, maar met Ricardo was het anders, ik hield echt van hem en ik heb alles gedaan wat in mijn vermogen lag om onze relatie in stand te houden...'

'Hoe weet jij of ik van geen van hen ooit heb gehouden? Je weet toch dat een vrouw maar om twee redenen met een man naar bed gaat: liefde of winstbejag; en dacht je dat ik van enig vriendje van mij beter hoopte te worden? Heb jij mij al eens betrekkingen met een man zien aangaan om wat dan ook van hem te krijgen? Het is juist altijd omgekeerd geweest! Zij liepen míj altijd te vragen om dit of dat, ik was altijd degene die de dure cadeautjes gaf, ik was altijd degene die het huis, de rekeningen, de autoverzekering betaalde als zij weer eens krap zaten. Herinner je je Manel niet meer, die altijd liep te zeuren om een paar dassen van Façonnable? Zoals je ziet, niemand heeft mij ooit iets gegeven behalve een paar nachten genot. En waarschijnlijk hebben sommigen van hen me niets gegeven omdat ik ze niet eens de tijd gaf om in mijn leven te komen. Maar dat wil nog niet zeggen dat ik niet van hen heb gehouden.'

'Dan heb je zeker een hart zo groot als een Boeing 747, waar veel passagiers in passen, sommigen eersteklas en anderen economy...'

'Dat is duidelijk, lieve schat, duidelijk en essentieel. Al die mannen die mijn leven in- en uitgegaan zijn wanneer en hoe ik het wilde, hebben allemaal zonder uitzondering hun plaatsje gekregen in mijn hart. Ik ben nooit naar bed gegaan met iemand die me niet om de een of andere reden aantrok, hoewel ik in de meeste gevallen van tevoren wist dat die aantrekkingskracht meer de vrucht was van mijn optimistische fantasie en vaak gevorderde staat van delirium, vlak de alcohol niet uit, dan van iets anders. Maar op mijn manier heb ik van hen allemaal gehouden, net zoals sommigen van mij hebben gehouden, vaak zonder het zelf te weten. Jij daarentegen, hebt je helemaal geconcentreerd op een en dezelfde man, en toen hij ervandoor ging – waarom weten we nog steeds niet – ben je in je schulp gekropen met een gezicht als van een atoomslachtoffer, in de hoop dat het leven je per omgaande een of andere sprookjesprins zou bezorgen die je alles zou geven waarvan je altijd hebt gedroomd. Het leven gaat aan je voorbij, en wel in die mate dat je niet meer weet wat je moet doen als er een man voor je neus staat die je erin wil trekken. Kijk bijvoorbeeld naar Francisco: het is zo klaar als een klontje dat hij gek op je is, maar jij zegt geen ja en geen nee, je houdt het op "misschien ooit", alsof je de wortel steeds een paar meter voor de neus van de ezel moet houden. Een dezer dagen wordt hij het zat om te doen alsof hij twee lange oren heeft en als hij er genoeg van heeft krijg jij ineens in de gaten dat hij toch best interessant had kunnen zijn.'

'Als dat je punt is: ik heb je al gezegd dat je je gang kunt gaan. Ik heb niets met Francisco en wil ook niets met hem, dus... vrienden geven elkaar de ruimte! Als je hem wilt, de weg is vrij.'

Luisa slaat zichtbaar opgewonden met haar handen op het stuur.

'Dat is het helemaal niet! Mijn God, doe niet zo stom! Ik heb je daarnet aan de telefoon al uitgelegd dat Francisco me totaal niet interesseert. Waar ik me zorgen over maak is dat jij het vermogen hebt verloren om je te amuseren en te profiteren van wat het leven je brengt. Laat je eens gaan en denk niet zoveel, shit, geniet van het leven en hou eens op met dat gekut!'

De laatste woorden klonken hard, misschien te hard vergeleken met waar Luisa en ik aan gewend waren in onze gesprekken. Ik verkies te zwijgen en trek me terug in de fauteuil van de Honda v-tec. Naast me schieten de bomen in razend tempo voorbij en ik kijk strak naar de witte bermstreep om de ogen van het roofdier naast me te ontwijken. We komen bij de stoplichten van de toegang naar Caparica en Luisa legt zachtjes haar rechterhand op mijn knie en geeft er een verzoenend kneepje in.

'Kom nou, laten we geen heibel maken over een vent met wie we het allebei nog niet eens gedaan hebben!'

Het is kort na tweeën als we op het strand aankomen. Het is stralend weer, ondanks de frisse, snijdende wind. Luisa opent de kofferbak van haar auto, waar verschillende tassen met kleren in liggen, een toilettas, een haardroger, twee regenjassen, linnen tasjes met schoenen, een mantelpakje met de hoes van

de stomerij er nog omheen en pakken papier van het reclame-
bureau, met ertussen wat dossiers en mappen met documenten, in een chaotische mengelmoes van kleuren en afmetin-
gen.

'Waarom heb je al die troep in je auto liggen?'

'Da's mijn nomadische ziel,' antwoordt ze met een glimlach. 'Als je niet weet waar je zult slapen, kun je maar beter
overal op voorbereid zijn,' zegt ze terwijl ze een kleurige tas
van onderop pakt. 'Hier is-ie! Wil je iets in de kofferbak
achterlaten?' Ik aarzel nog, maar aangezien ik niets nodig heb
behalve mijn zonnebril en niet graag met tassen sjouw, berg ik
mijn rugzakje op en we lopen met zijn tweeën naar het
strand. Bij de ingang kopen we twee blikjes cola bij de bar en
daarna lopen we blootsvoets door het zand, tot we een plekje
vinden dat ver genoeg verwijderd is van alle andere mensen
die op hetzelfde idee waren gekomen en die her en der in
groepjes van twee of drie zitten te genieten van de zaterdag-
middag.

'Sorry voor daarnet. Ik heb niets te maken met jouw leven,
noch met Francisco, noch met die hele shit. Maar het doet me
pijn je zo in zak en as te zien zitten vanwege een vent die weg is
en die waarschijnlijk absoluut schijt heeft aan jou. Je bent zo
veranderd sinds de tijden met hem, ik verlang terug naar de
oude Madalena. Hij heeft je je glans afgepakt, je levensvreugde, hij heeft een trieste, zwaarmoedige persoon van je gemaakt, en dat vergeef ik hem niet.'

Luisa heeft weer eens gelijk. Zoals Catarina gelijk had toen
ze zei dat ons leven niet gemakkelijker is dan het hare, alleen
lichter en leger.

Ik ga in het zand liggen en voel hoe de zon brandt op mijn
gezicht. Ik rek me lang en traag uit.

'Je hebt gelijk, ik heb er behoefte aan dit soort dingen te horen om terug te keren naar de realiteit. Ik loop altijd maar
rond in een fantasiewereld. Eigenlijk is dat niet meer dan een

verdedigingsmechanisme om het dagelijks leven beter aan te kunnen. Iedereen heeft zo zijn eigen methoden. De jouwe is een vlucht in de toekomst, de mijne is de cocon. Die van Catarina is onverschilligheid, en die van Mariana luiheid. Ik heb gisteren bij Catarina gegeten, en Bernardo is weer eens bezig.'

'Zeg dat wel. Gisteren zag ik hem nog met een meisje bij de ingang van Kapital... Ik weet niet helemaal zeker of ze samen waren, maar volgens mij wel. Zij viel me trouwens het eerst op; ik had de indruk dat ik haar ergens van kende, maar ik wist niet waarvan. Misschien een of andere stagiaire die bij ons heeft gewerkt. Je weet hoe het gaat, na tien jaar kun je echt niet meer alle gezichten onthouden.'

'Het zou me niks verbazen als hij met het een of andere jonge grietje was! Die vent heeft me een lef! Hij belde me na zeven uur op de redactie met de vraag of ik bij Catarina wilde gaan eten omdat hij een dineetje had met wat mensen van de bank en daarna een vergadering – ja hoor, op vrijdagavond!'

'En je hebt hem niets gezegd?'

'Nou, op zeker moment raakte ik geïrriteerd, want hij had ook nog het lef te ontkennen dat er wat achter zat, en toen heb ik hem de huid volgescholden.'

'Goed zo.'

'Nee, Luisa, het goede was dat ik toch bij Catarina ben gaan eten en haar heb getroost voor de rotstreken die die vent haar levert. Ik kwam in tranen thuis na haar in zo'n staat te hebben gezien!'

'Eerlijk gezegd snap ik ook niet altijd waarom Catarina zo boos is. Die gozer is altijd al zo geweest.' Ineens verhardt haar gezicht.

'Ik zal je eens iets vertellen wat ik aan geen van jullie ooit verteld heb: weet je dat de zak iets bij mij heeft geprobeerd op zijn eigen bruiloft?'

'Wat?'

'Hij overviel me toen ik door het park van het Paleis van

Queluz wandelde, bij het buffet aan het eind, weet je nog? Het was al een uur of drie 's nachts en hij greep me bij mijn middel en kuste me op mijn mond. Ik moest hem een klap geven voor hij me losliet!'

'Wat afschuwelijk!'

'Veel afschuwelijker was de gedachte dat iemand de scène kon hebben gezien en kon hebben gedacht dat ik iets had met de man van mijn pasgetrouwde beste vriendin! Gelukkig was het verhaal hiermee afgelopen en heeft hij nooit meer avances gemaakt. Is jou nooit opgevallen dat hij tegen mij altijd een beetje afstandelijk doet?'

'Nu je het zegt...'

Ik zwijg een moment, maar even later bekruipt me de gebruikelijke twijfel, de twijfel die ik altijd voel als Luisa in verband wordt gebracht met een man. En ik kan de fatale vraag niet binnenhouden: 'Zeg... Ben je nooit met hem naar bed geweest?'

Luisa kijkt me aan en schudt haar hoofd met een vertrouwelijke glimlach: 'Denk je nou echt dat ik in staat ben iets te beginnen met de vriend of man van een vriendin, die ik ken als een ontzettende versierder, terwijl ik bovendien dol op haar ben? Het celibaat doet je geen goed, meisje, je bent een beetje in de war.'

Haar eerlijkheid verjaagt alle twijfel.

'Begin je nu alweer! Jij bent werkelijk geobsedeerd door mijn seksleven!... Waar het hart vol van is, daar loopt de mond van over,' verzucht ik erachteraan.

'Precies, jij moet je leven nodig flink op z'n kop zetten. Waarom geef je Francisco niet eens een goeie beurt? Hij ziet eruit als iemand die er wel raad mee weet...'

'Kun je me ook uitleggen hoe zo iemand eruitziet?'

'Weet ik veel, je ziet het in de oogopslag, de handgebaren, ik weet niet. Het is iets instinctiefs.'

'En Gonçalo, was die goed in bed?'

'Gonçalo draagt boxershorts, maatje small. Is hiermee je vraag beantwoord?'

'Maar als jij nou zin had in een wip en in al je Mata Hari-wijsheid doorzag dat Francisco waarschijnlijk goed was in bed en Gonçalo stukken minder, waarom heb je dan Gonçalo gekozen?'

'Omdat Francisco meteen op jou gefixeerd was, en vriendinnen en neukvriendjes haal ik niet door elkaar.'

'Bedoel je dat als Francisco jou zou hebben versierd, je een avontuurtje met hem zou hebben gehad, en dat het je niet uitmaakte of het de een of de ander was?'

'Nee, dat zeg ik niet. Wat ik zeg is dat ik die avond zin had in seks en dat Gonçalo dat probleem voor me heeft verholpen.'

'Maar bereik je nou eigenlijk iets met al dat gefuck?'

'Nee, maar dat is ook niet de bedoeling. De bedoeling was alleen om eens goed te beurten. Snap je wel, zoals in die mop van de magische beurt, over die vent die in een café stevig op een meisje staat in te praten en als zij zich gewonnen geeft, vraagt of ze zin heeft in een magische beurt. Vraagt de jongedame in vervoering wat dat is. Antwoordt hij: "Ik geef jou een beurt, en jij verdwijnt!"'

We liggen dubbel. Ik heb in lange tijd niet zo gelachen en lig helemaal in een stuip, tot de tranen me over de wangen stromen. Dronken van hilariteit begeven we ons op het bochtige en nogal ranzige pad van de schuine moppen. Als het begint af te koelen kijk ik op mijn horloge; het is al na zessen. We besluiten een kop koffie te gaan drinken en terug te keren naar Lissabon. Voor we instappen, vraag ik Luisa om de kofferbak te openen zodat ik mijn rugzak kan pakken.

Hij is weg. Verbijsterd kijk ik naar de plek waar hij zou moeten liggen maar waar ik hem niet zie. En het vreemdste is dat er verder niets weg is: alle troep van Luisa ligt er nog, onaangeraakt, alsof die niet geschikt was om te stelen. Ik geloof mijn ogen niet. Luisa ook niet. Ze probeert het slot verschillende malen uit om te zien of het niet stuk is.

'Wat vreemd... Het lijkt niet geforceerd...'

We zijn allebei geschokt. 'Ik weet zeker dat ik de achterbak goed heb dichtgemaakt,' herhaalt Luisa dof. Ik voel het bloed wegtrekken uit mijn gezicht. Mijn hele leven zat in die kloterugzak. ALLES. Mijn documenten, mijn make-up, foto's van mijn neefjes en nichtjes en van Ricardo, mijn sleutels, mijn borstel van varkenshaar die ik sinds mijn achttiende heb, mijn filofax. Het ergste is mijn filofax! Alle telefoonnummers, van iedereen, verloren, in handen van een of andere dief! Ik begin geluidloos te huilen, deze keer zonder te kunnen ophouden, tot ik overweldigd word door gesnik. Mijn hele leven in handen van een vreemde. Van een of andere vent die dacht dat er wat poen viel te jatten. In mijn portemonnee zit alleen maar 500 escudo! En het ergste is mijn creditcard! 'Maak je geen zorgen,' zegt Luisa. 'Ik heb hier het nummer van de 24-uurs klantenservice en die annuleren je creditcard in een wip.' Binnen twee minuten heeft ze het telefoonnummer opgezocht in haar agenda en ik bel om de kaart te annuleren. Een engelenstem aan de andere kant vraagt me of ik het nummer weet. Nee, dat weet ik niet, maar mijn tranen gaan zeker dwars door de kabel, want dezelfde stem stelt me gerust en garandeert me dat ze de creditcard onmiddellijk annuleert en dat ik alleen maar even hoef terug te bellen om het nummer door te geven, dat ik ergens thuis heb liggen. Nu zweven we laag over de grond met tweehonderd kilometer per uur naar huis. Onderweg bel ik Virginia dat we bij haar langskomen om de reservesleutel af te halen. Luisa voelt zich rot en ik ben ontroostbaar. Ik neem het mezelf kwalijk dat ik mijn portemonnee in de kofferbak heb laten liggen.

'Hoe kon ik zo stom zijn?' herhaal ik keer op keer.

'Rustig nou maar,' zegt Luisa sussend. 'Ik rijd al zoveel jaar als een zigeuner rond met bergen troep in mijn achterbak en ik ben nog nooit beroofd. Het was gewoon pech.'

'Inderdaad, een pech die mijn hele leven verziekt,' grom ik tussen mijn tanden door.

Ik haal me alle spullen voor de geest die ik heb verloren en een vreselijke ongerustheid bekruipt me. Alleen al aan make-up is het meer dan twintig contos. De filofax zelf was ook niet goedkoop, maar wat erin zat was van onschatbare waarde. Wat een vreselijk verlies. Losse gedichten, ideeën voor artikels, zeer waardevolle contacten, geheime telefoonnummers – en de cheques, mijn God, ik was vergeten dat er nog een stuk of vijf cheques in een van de vakjes van de filofax zaten! En het ergste zijn de sleutels, van mijn auto en mijn huis! Na een snel telefoontje gaan we de autoweg naar Cascais op en nemen de afslag richting Amadora, waar ik even bij Virginia binnenwip om de reservesleutels van mijn huis op te halen. Luisa belt naar haar moeder, die toevallig een buurman heeft die toevallig bij sleutelbedrijf Areeiro werkt en toevallig wel eens wat bijklust en toevallig thuis was en zelfs nog wel een paar sloten over heeft en toevallig vanmiddag vrij heeft en naar mijn huis kan komen om het slot op mijn voordeur te vervangen. Ik verkeer nog steeds in staat van shock en kijk toe hoe Luisa de zaken voor me regelt. Als we thuiskomen plof ik neer op de bank en zij laat de man binnen en schrijft de cheque uit, zij zoekt in mijn schrijftafeltje het papiertje van Visa met mijn klantnummer op, zij annuleert de kaart, zij zet een kop melissethee voor me en geeft me twee kalmeringstabletten en doorzoekt mijn chequeboekje om te zien welke nummers ontbreken, zodat ik die kan annuleren bij de bank.

Midden in alle verwarring belt Francisco en voor ik kan zeggen dat ik niemand wil zien, hangt hij op om kort daarna met een begrafenisgezicht voor de deur te staan. Hij belt een oude middelbareschoolvriend met de naam Beto, die in auto-onderdelen handelt. Hij legt hem summier de urgentie van de situatie uit en een halfuur later komt de man mijn auto ophalen om nog dit weekend het slot te vervangen. Beto belooft dat de auto uiterlijk maandagmiddag klaar is. Aan de hand van mijn agenda kunnen de dieven immers heel gemakkelijk mijn adres vinden, en met de sleutel in handen is het dan een peulenschil om de auto op te sporen, merkt Francisco op alsof het oplossen van dit soort problemen dagelijkse kost voor hem is.

Het is tien uur in de avond als we tot de conclusie komen dat we op dit moment niets meer kunnen doen. Ik voel me een beetje rustiger, waarschijnlijk omdat ik onder de indruk ben geraakt van de efficiënte aanpak van het magische duo, en ook de twee pilletjes hebben hun bijdrage geleverd. Luisa neemt warm afscheid en draagt Francisco op om me, zelfs als ik het niet wil, uit eten te nemen en me een beetje af te leiden.

'Laten we dan maar naar die Zweden gaan, eens kijken of de mousse je een beetje kan opmonteren,' zegt Francisco met een gezicht om op te eten. 'Je zult zien dat alles weer tevoorschijn komt. Die gasten willen alleen maar geld om drugs te kopen. Ze dumpen je spullen in een container of laten ze ergens achter en een dezer dagen word je gebeld door ene Alzira: 'Ja, hallooo? Met mevrouw De Sousa e Sá? We hebben hier een portemonnee van echt leer!'

Hij vertrekt zijn gezicht om het imaginaire gezicht van mijn imaginaire redster in de nood na te bootsen en ik barst uit in een onbedwingbaar, nerveus geschater waarmee ik een groot deel van de stress ontlaad die mijn hoofd verstikt en mijn bewegingen belemmert.

Om halfelf komen we aan bij het restaurant en met de nodige moeite weten we de ober zover te krijgen de kok over te halen om de keuken nog niet te sluiten en ons een biefstuk met 'zotte saus' te bereiden, zoals op het menu staat. Ik wil niet eens weten wat die zotte saus inhoudt, ik bestel meteen een fles rode Quinta do Côtto en sla twee glazen achterover, nog voor de genoemde biefstuk op tafel belandt. Francisco is echt tof, hij vertelt over zijn middelbareschooltijd, zijn avonturen tijdens een interrailtoer die hij met Gonçalo maakte voor ze gingen studeren, de rampzalige ondernemingen van zijn vriend Beto die, voor hij in auto-onderdelen ging, tankstations overviel en zes maanden vastzat voor het smokkelen van hasjiesj die hij meebracht uit Marokko, verstopt tussen wat tapijtjes, en nog meer verhalen over de medewerkers op het marmerbedrijf, zoals de voorman, die op een dag zittend op een hoekje van het bureau in tranen werd aangetroffen omdat zijn oudste zoon benzine had geïnjecteerd in het achterste van zijn kat en alle kuikentjes in het kippenhok had fijngedrukt om draadjes uit hun snaveltjes te zien komen. Op dat punt schuif ik de biefstuk van me af en verzoek hem van onderwerp te veranderen om niet mijn mousse te vergallen, die inderdaad subliem blijkt te zijn. Ondanks zijn verpletterend enthousiasme slaag ik erin de derde fles wijn af te slaan, want ik voel me weer tien jaar jonger en twintig kilo lichter en vrees ernstig voor mijn stabiliteit.

Francisco vraagt me op zijn schoot te komen zitten en haalt uit zijn achterzak een op blauw papier getypte verklaring van 23 regels die hij zachtjes begint voor te lezen:

Ik, Francisco Pimenta Rocha Machado, geboren op 20 augustus in het jaar des Heren 1964 en gedoopt in de Allerheiligenkerk door Pastoor Alberto Sousa, die is overleden op 20 september van datzelfde jaar, houder van identiteitsbewijs nummer zus en zo van de Burgerlijke Stand/het persoonsregister te Lissabon, verklaar dat ik ongeneeslijk verliefd ben op Maria Madalena Coutinho de Sousa e Sá, geboren op 13 mei 1965 in het district Lapa, dochter van José de Sousa e Sá en Leonor Sancho Coutinho, houdster van identiteitsbewijs nummer 5945957 van de Burgerlijke Stand/het persoonsregister te Lissabon, woonachtig in Bairro Alto, beroep journaliste van glossy tijdschriften, met de ambitie om een groot reporter te worden, eigenares van een uitzonderlijk paar benen en een

trauma van Baskische oorsprong dat ik eens en voor al hoop
te verhelpen, in de hoop dat ik voornoemde vrouw met mijn
passie en interesse gelukkig kan maken, zo niet voor altijd,
dan ten minste zolang zij het toestaat, op die wijze met voor-
noemde een behoorlijk verliefd stel vormend waarvan de tijd
zal leren of het een toekomst heeft of niet.

Om dit document rechtsgeldigheid te verlenen tegenover der-
den, verzoek ik twee aanwezigen om als getuigen op te treden,
waarbij ik, zoals de wet het voorschrijft, onderteken hetgeen
ik hierbij verklaar als zijnde waar, rechtsgeldig en juist.

Was getekend Francisco Pimenta Rocha Machado.

Ik begin tegelijkertijd te lachen en te huilen, als een achtja-
rige die van iemand het laatste model barbiepop cadeau
krijgt. Ik voel me volslagen idioot en intens gelukkig. Een stel
noordelijk uitziende buitenlanders naast ons, die geen woord
hebben verstaan maar de betekenis van de hele scène lijken te
hebben geraden, bieden aan om het papier te ondertekenen.
Twee onleesbare namen waarin ik met moeite 'Ingrid' en
'Hans' kan onderscheiden, worden geregistreerd.

'Ik heb een idee,' fluistert Francisco. 'Waarom gaan we niet
op een romantisch plekje slapen, bijvoorbeeld in Sintra?'

'In Sintra? Wat een gebrek aan fantasie! De hele wereld gaat
al naar Sintra! Laten we naar Évora gaan, dat is verder weg en
ik heb zin in autorijden!'

En voor ik van gedachten verander, betaalt Francisco in een
oogwenk de rekening en gaan we bij mij langs om een koffer-
tje in te pakken. Francisco heeft een flesje aftershave en een
tandenborstel in het handschoenenkastje liggen en hij heeft
geen kleren nodig omdat hij morgen naar het landhuis kan
gaan om een broek en hemd op te halen, dus dat versnelt de
voorbereidingen. Terwijl ik mijn tas inpak wacht Francisco in
de huiskamer op me.

'Ik zie dat je de foto van Ricardo hebt opgeborgen,' merkt

hij op. 'Daar ben ik blij om...' En hij geeft me een lange kus, geil, zacht, met chocoladesmaak. Ik heb zin om ter plekke met hem te vrijen, maar kies ervoor het plezier te rekken en de lust au-bain-marie op te warmen tijdens de autorit.

We rijden de brug over en de autoweg ligt voor ons, ordelijk en door monotoon oplichtende lampen omzoomd als een landingsbaan. De onderbroken strepen schieten een voor een voorbij in een oneindig, regelmatig continuüm dat me verblindt en hypnotiseert. Francisco laat discreet zijn onberispelijke cd-verzameling zien, met pareltjes ertussen zoals Harry Connick Junior, John Cale en mijn favoriet aller tijden, Caetano Veloso.

Anderhalf uur later komen we aan in Évora, waar we via de mobiele telefoon al een kamer hadden gereserveerd voor we bij Setúbal de tolweg opgingen. De wonderen van de moderne telecommunicatie.

Nadat we de gebruikelijke formulieren hebben ingevuld, worden we door een hotelbediende op leeftijd, met een glanzend kaal hoofd, naar een magnifieke kamer met een hoog hemelbed gebracht. Ik voel me minder dronken dan een uur geleden, maar word nog steeds overstroomd door een onnozele, hartversterkende gelukzaligheid. Francisco zet de tassen neer, omvat mijn middel en begint langzaam mijn vest open te maken, en dan mijn hemd, en dan de rits van mijn broek, en ik laat me gaan, tegelijkertijd traag en snel, zonder tijd om na te denken...

VIII

Oké. Dat is dat. Ik heb definitief mijn rouw afgelegd. Ik word wakker van een zonnestraal die zachtjes mijn gezicht aanraakt. Bij daglicht is de kamer nog mooier. Mijn lichaam rust uit, gewikkeld in de gladde witte lakens van ouderwets linnen, warm en verzadigd. Ik sluit mijn ogen, puur om het plezier ze weer te openen en elke seconde opnieuw te beleven. Francisco ligt naast me en streelt me langzaam, zorgvuldig over mijn haar, als iemand die een sierpop kamt.

'Word jij altijd wakker met zo'n babygezichtje?'

'Nee, alleen als ik zoet heb gedroomd.'

Langzaam rek ik me uit, eerst strek ik mijn armen naar boven, dan mijn benen tot aan mijn hielen en dan tot aan het puntje van mijn tenen. Ik baad in welbehagen, ik voel me honingzacht.

'En, hoe zit het, ben je nog steeds mijn vriendinnetje?'

'Wat denk jij?'

'Ik denk van wel.'

Meer zeggen we niet. We raken in elkaar verstrengeld als één lichaam, gedurende een tijd die een minuut kan zijn of een uur, tot we in slaap vallen.

Als ik wakker word staat Francisco onder de douche. Ik sluip de badkamer in en omhels hem van achteren, en zo blijven we een tijdje staan. Dan begint hij mijn voeten in te zepen, mijn benen, mijn dijen, mijn buik, mijn rug, mijn borsten. We zijn allebei erg opgewonden en vrijen ter plekke, onder het water dat als een waterval op ons neer klatert.

Francisco tilt me op en we verlaten de badkamer om weer in bed te gaan liggen. Zijn lichaam komt me steeds perfecter voor, tot op de millimeter naar het mijne gemodelleerd, als een vol aandacht en precisie ambachtelijk gemaakte vorm. Ik klamp me heftig aan hem vast, begraaf mijn gezicht in zijn huid, trek aan zijn haar en laat me opnieuw gaan, voor de derde keer sinds gisteravond, in een wedloop van genot, steeds sneller tot de eindspurt. Hij komt en gaat, treuzelend als iemand die een gerecht eet dat hij nooit op wil krijgen. Beetje bij beetje valt het gewicht van de zwaarmoedigheid van me af en vergeet ik al mijn angsten en verdriet, alsof ik herboren word in de armen van deze man.

Het is al één uur geweest als we de kamer verlaten. Bij de ingang van de *pousada* komen we een zojuist gearriveerd Amerikaans echtpaar tegen dat verbijsterd staat te kijken naar het zestiende-eeuwse harnas dat de hal opsiert. Met een Prodentglimlach roepen ze uit: '*Jeeee! This must be very old.*' Oud zijn zíj, de stakkers. Bij elkaar opgeteld wel rond de honderdtachtig. Ik wend me tot hen en Jeremy Irons in *Reversal of fortune* imiterend, zeg ik met een onheilspellend gezicht en dito grafstem: '*You have no idea.*' Het echtpaar glimlacht stomverbaasd en we haasten ons, overweldigd door een lachbui, de deur uit.

Évora ligt er vredig en zonovergoten bij en we stuiten meteen op de tempel van Diana. Francisco klimt bovenop de ruïne en steekt een wat verward en behoorlijk geestig betoog af over de jacht en de liefde, dat na enkele minuten wordt onderbroken door een naderende politieagent die met het uiteinde van zijn stok ritmisch in zijn handpalm slaat.

'Wilt u daar alstublieft vanaf gaan?'

Francisco gehoorzaamt en verontschuldigt zich.

'Sorry, agent, maar ik ben verliefd op dit meisje hier en in zulke omstandigheden verliest een man zijn verstand.'

Hij is verrukt als een kind van vier dat zojuist een elektrische trein heeft gekregen met een spoorweg van tien meter. Hij springt, lacht en kletst honderduit, een stortvloed van onbenulligheden, maar geen van ons maalt erom. Als ik niet in dezelfde staat van verliefde verdwazing verkeerde, zou ik dit alles belachelijk vinden. Nu vind ik alleen degene die deze staat van genade níet accepteert belachelijk.

Op zeker moment vraagt hij op onwillige toon: 'Zeg liefje, heb je geen zin om even langs te gaan in Vila Viçosa en thee te drinken bij mijn ouders thuis? Ik heb immers geen kleren meegenomen, en dan zou ik meteen even langs de zaak kunnen gaan om wat papieren op te halen die ik graag zou willen meenemen naar Lissabon...'

Ik weet niet wat ik moet antwoorden; ik ben met een snelheid van duizend kilometer per uur met beide benen op aarde terechtgekomen. Een romance hebben met Francisco is één ding; zijn familie ontmoeten en theedrinken met zijn moeder is iets heel anders en valt totaal niet binnen mijn idee van een idyllisch weekendje.

'Niet echt romantisch, maar dan kan ik tenminste een schoon overhemd aantrekken,' is het doorslaggevende argument van Francisco.

'Goed,' stem ik schoorvoetend toe, 'Maar pas morgen. We moeten trouwens toch aan het eind van de middag in Lissabon zijn, want ik heb afgesproken om met mijn neef Zé Miguel te gaan eten. Dus vandaag blijven we met zijn tweetjes, oké?'

Francisco geeft me een zoen, dankbaar waarschijnlijk voor mijn inschikkelijkheid. In werkelijkheid heb ik geen greintje zin om zijn ouders te ontmoeten, maar dat is pas morgen en vandaag is alles zo fijn...

'Wat zou je ervan zeggen om te gaan lunchen bij Fialho?'

'Dat is goed, maar eerst gaan we een winkeltje opsporen waar je wat kleren kunt kopen, zodat je niet gaat stinken,' antwoord ik plagend. Alsof dat het geval was. Francisco behoort tot de minieme groep bevoorrechte mannen die niet naar man ruiken. Of misschien ben ik zo verblind door hartstocht dat ik hem door een roze bril zie, zoals een regisseur van een romantische komedie waarin de belichting en kleurnuances de acteurs omvormen tot perfecte wezens, ontdaan van haartjes, pukkels, roos en mee-eters.

We eten vorstelijk: ik eet vissoep en doe me vervolgens te goed aan patrijs met druivensaus. Francisco smult van everzwijnbiefstukjes met appelmoes, dit alles rijkelijk overgoten met een Esporão uit 1991, na een naar het immorele neigende braspartij met allerlei tapas en hors d'oeuvres.

Aan het eind van de maaltijd voel ik me zo voldaan dat ik niets liever wil dan een siësta slapen in de schaduw van een kurkeik. Francisco daarentegen barst van de energie en wil actie: hij dwingt me tot een bezoek aan de bottenkapel, waar een kabbalistische spreuk ons bij de deur verwelkomt: 'Wij botten die hier liggen, wachten op de uwe'. Het zien van al die botten bij elkaar brengt me nou niet in een opperbeste stemming, al zijn ze, het moet gezegd, op artistieke wijze uitgestald. Na een kort bezoekje gaan we weg en keren terug naar de pousada. We zijn nog niet in onze kamer of Francisco duwt me zachtjes op het bed en wil weer vrijen, maar ik wil niet. Iets in ons bezoek aan de kapel heeft me van streek gemaakt, alsof ik me ineens bewust ben geworden dat het, hoe gelukkig ik me ook voel, niet de moeite waard is grote feesten te houden of groot vuurwerk af te steken. Op een dag is dit immers allemaal afgelopen, zoals aan alles een einde komt; zoals aan oma Lena een einde kwam, en aan de liefde tussen Ricardo en mij.

Francisco ziet ervan af me te verleiden; in plaats daarvan vraagt hij me naar het waarom van mijn plotselinge triestheid. Ik leg mijn ziel bloot en vertel hem alles. Mijn verdriet om de dood van mijn oma, de eenzaamheid en ontreddering toen ik Ricardo kwijtraakte en onze liefde onmogelijk bleek, de frustratie om geen gezin te hebben, mijn verlangen naar kinderen, mijn angst om altijd maar een tweederangs journaliste van een roddelblad te blijven en mierzoete interviews te schrijven, mijn medelijden met Catarina en de woede die ik voel jegens Bernardo, mijn bezorgdheid om Mariana, zo alleen en lusteloos, en mijn jaloezie op Luisa die zo onafhankelijk en geslaagd is. Francisco luistert stil en aandachtig, wat ik niet durf te zeggen leest hij in mijn ogen.

'Maar lieve schat, dit is allemaal op te lossen: als je je Baskenman terug wilt, ga ik hem wel voor je halen; zeg maar waar hij woont. Wil je hem daarentegen niet, dan kunnen we, aangezien je mijn vriendin bent, al is het nog maar 24 uur, gaan trouwen en voor altijd gelukkig zijn, kinderen krijgen en al. Wat je carrière betreft zullen we een baan voor je moeten zoeken als assistent van een minister of iets dergelijks, iets dat meer voldoening geeft. En wat je vriendinnen betreft: sorry dat ik het zeg, maar denk je dat zij op dit moment thuis aan jouw problemen zitten te denken en zich het hoofd breken om er de beste oplossing voor te vinden? Denk meer aan jezelf, bekommer je minder om de anderen, geniet van het heden en laat het verleden voorgoed achter je.'

'Je bent een slimmerik,' antwoord ik al wat lichter, alsof alles wat hij heeft gezegd een goede voorspelling was. 'Jij weet me altijd te krijgen waar je me hebben wilt. Je laat me nog geen ietsepietsie ongelukkig zijn...'

'Jij wilt helemaal niet ongelukkig zijn! Lééf alle minuten van plezier die je nu hebt, zelfs al krijg je er later spijt van, want niets of niemand kan je nog afpakken wat je hebt beleefd. Het leven gaat veel te snel voorbij, zwelg niet in herinneringen of wroeging. Leef je leven met al je kracht, profiteer van het goede dat het je biedt en gooi zand over je verdriet!'

Dit alles langzaam, heel langzaam uitgesproken, op de melodie van een Indiër die de cobra in de mand hypnotiseert.

'Laten we ophouden met praten en gaan dineren.'

'Dineren? We hebben net geluncht!'

'Wat heeft dat er nou mee te maken? Weet je dan niet dat het zo nu eenmaal toegaat in de Alentejo? Je leeft om te eten en te slapen. Trouwens, heb je al gezien hoe laat het is?'

De wijzers staan op kwart over acht, maar de lunch zit nog dwars voor mijn maagingang. Ik word misselijk alleen al bij de gedachte aan eten, maar Francisco wenkt me met zijn sleutelhanger en daar gaan we weer, richting Estremoz. We gaan eten in een rustig, romantisch restaurantje aan het dorpsplein. De naam is nog romantischer: *São Rosas*.

'Je zult het eten heerlijk vinden,' merkt Francisco op, zichtbaar verlekkerd door de warme ontvangst van de eigenaar, die uitgebreid informeert naar zijn hele familie en me zijdelings aankijkt met een knipoog naar hem.

We eten goddelijk en keren langzaam terug naar Évora, in elkaar verstrengeld achter het stuur, hij met zijn arm om mijn schouders terwijl ik vol zelfvertrouwen de versnellingsbak bedien. Ik kan me niet herinneren wanneer ik voor het laatst zo gelukkig was. De schaduwen van de kurkeiken verheffen zich waardig en stil op het plechtige, kalmerende doek van de diep donkerblauwe lucht, en blijven achter alsof ze ons nawuiven, terwijl ze elkaar geheimpjes toefluisteren in hun bleekgroene gebladerte. Francisco zet de muziek uit en zo rijden we voort over de weg, gehuld in het comfort van onze stilte, zo vol en zo zoet...

Als dit geen liefde is, dan is liefde niets waard. Ik zit vol energie, vrede, plannen en ideeën, verlangens en wensen. Ik voel me alsof de hele wereld van mij is, want het is mijn wereld die opnieuw in mij groeit. De geur van zijn huid overstroomt mijn zintuigen en ik druk mijn lichaam tegen het zijne alsof ze een geheel zijn. Ik geloof dat ik eindelijk begin te houden van deze intelligente, zachtaardige, geduldige, mooie man die me heeft weten te veroveren. En als we aankomen en weer in bed gaan liggen om elkaar opnieuw te beminnen, geef ik me helemaal, alsof ik de laatste momenten van mijn leven leef vlak voor een woeste, wrede aardbeving die de planeet vernietigt en ons allen verandert in stof en as... Maar ik weet dat dit alleen maar het begin is van een zachte, sterke, stimulerende, ik zou haast zeggen perfecte liefde.

We worden laat wakker, te laat voor het ontbijt in de pousada. We pakken in en zetten koers naar Vila Viçosa, nadat ik Francisco heb overgehaald om me niet al voor te stellen aan zijn ouders. Ik wacht een uur lang op hem in het centrale café ter plaatse, terwijl hij thuis kleren gaat halen en de papieren die hij nodig had. Ik kijk in stilte naar de mensen die daar eveneens van hun welverdiende zondagsrust genieten. Stelletjes verliefde pubers, de meisjes met lang, steil haar, de jongens met beginnende baardgroei die ze opzettelijk aan het scheermes hebben laten ontsnappen als onmiskenbaar symbool van hun ontluikende mannelijkheid. Vrouwen met rossig en paarsachtig geverfd haar, brillen met dikke monturen en dikke glazen, dikke knieën en de verbitterde gelaatsuitdrukking die zo vaak gepaard gaat met de middelbare leeftijd, zitten elkaar de laatste intriges van dit oord in te smiespelen. Achterin zit een stel oudjes met een bescheiden, dromerig uiterlijk koffie verkeerd te drinken en elk een gebakje met slagroom te eten, met de dommige uitdrukking van gelukzaligheid, eigen aan mensen die er de hele week op hebben zitten wachten om die ene lekkernij te verorberen. Buiten zitten de mannen in kleine groepjes, veel van hen met een zwarte hoed op en de armen over elkaar, hun tanden met tandenstokers bewerkend en grappenmakend in een melodieus, oneerbiedig taaltje dat alleen ingewijden begrijpen. 'O *compadre*, kijk, zo zit het niet helemaal...' Alleen al dat accent doet het 'm, ik hou zo van deze mensen dat ik het betreur dat ik geen Alentejaanse familietak heb.

Francisco keert glimlachend terug met een papieren draagtas en een bosje margrieten uit eigen tuin. We drinken een kop koffie en gaan terug naar Lissabon. Onderweg bel ik Zé Miguel om het etentje af te zeggen. Ik heb geen zin meer om bij iemand anders te zijn of wat dan ook te doen behalve het beleven van deze liefde. En zo te zien is het met Francisco net zo...

IX

Klokslag negen uur ga ik het huis uit en neem een taxi naar Rua de Santa Marta. Na een vol weekend probeer ik met welhaast onmenselijke krachtsinspanning weer met beide benen op aarde te komen en ik houd mezelf voor dat ik nu echt de beroving moet afhandelen. Terwijl de taxibestuurder tekeergaat tegen de andere automobilisten, onder niet-aflatend getoeter en niet bepaald orthodoxe gebaren met zijn linkerarm die uit het raampje hangt, ga ik mentaal terug naar de middag waarop mijn rugzak werd gestolen, in een poging mijn verhaal zo goed mogelijk op een rijtje te krijgen. Ik had een lijstje moeten maken van alles wat weg is, maar zonder mijn filofax heb ik dat nog niet voor elkaar gekregen. Opnieuw springen de tranen me in de ogen terwijl ik me de dingen voor de geest haal die ik kwijt ben. Een make-uptasje is iets belachelijk dierbaars voor een vrouw. Toen ik dat probeerde uit te leggen aan Francisco, lachte hij en raadde me aan om naar de parfumerie te gaan en alles nieuw te kopen. Duidelijk geen vrouw. Het make-uptasje is een mausoleum van vrouwelijke kostbaarheden. Jaren heeft het je gekost om de ideale blusher te vinden, de perfecte mascara, de juiste kleur lippenstift, de concealer die je er niet laat uitzien als een buitenaards wezen, de basismake-up die dun genoeg is om niet op te vallen en die tegelijkertijd een consistente textuur heeft zodat je onvolmaaktheden worden gecamoufleerd, de parfummonstertjes en het oogpotlood van dat ene merk dat in Portugal nog niet verkrijgbaar is, en nog zoveel andere prulletjes waar mannen geen kaas van hebben gegeten. Maar het grootste verlies is nog steeds mijn filofax, met liefdesbriefjes van Ricardo en twee foto's van hem als jongetje van vier, schattig, met krullen en een geruite korte broek, op een strand bij Santander. Dat alles is onbetaalbaar. Het zijn stukjes uit mijn leven die zomaar zijn weggerukt en nu in vreemde handen liggen, die ze vast zullen vernietigen.

'Neem me niet kwalijk, juffrouw... maar voelt u zich soms niet goed?'

Hij kijkt herhaaldelijk achterom met het bezorgde gezicht van iemand die zojuist een hond heeft aangereden.

'Zeg, juffie... kan ik u misschien ergens mee helpen?'

'Nee, nee,' antwoord ik terwijl ik mijn gezicht afveeg. 'Maak u geen zorgen, het komt wel goed.'

'Nou,' dringt de man weifelend aan, 'als ik ergens mee kan helpen, zegt u het maar, hoor. Wij taxichauffeurs krijgen heel wat te horen tijdens het vervoeren van onze passagiers. Zo heb ik flink wat psychologisch inzicht gekregen, zo zeg je dat toch? Ja, psychologisch inzicht om mensen te helpen. En soms werkt het nog ook. Laatst nog had ik een dame in de auto van ongeveer uw leeftijd, met een heleboel koffers, die tranen met tuiten zat te huilen. Ze had ruzie gehad met haar man en ik haalde haar over het weer goed te maken. Ik leende haar mijn mobiele telefoon om naar huis te bellen en toen maakten we rechtsomkeert. Het arme kind was er echt helemaal kapot van, maar het kwam allemaal weer goed. Haar man, die naar beneden kwam om haar bagage te halen, bedankte me nog! Jullie jong volk zijn zo overhaast, altijd maar ruziemaken, en daarna weet je niet meer hoe je het bij moet leggen... Neem me niet kwalijk dat ik me ermee bemoei, maar heb u soms ook ruzie met uw vriend?'

'Nee, mijn tas is gestolen.'

'O, is dat alles? Ik dacht dat het iets ernstigs was. Dan moet u naar de politie gaan om aangifte te doen!'

'Maar daar brengt u me ook juist naartoe!'

'Weet u, meestal geven ze de documenten terug, ze willen alleen maar geld voor drugs, snapt u? Had u geld bij u?'

'Nee.'

'Dat is niet zo best. Dan kunnen die lui kwaad worden en alles wegsmijten. Maar misschien ook niet. Bid maar tot de heilige Antonius, die helpt u wel.'

Bij de deur van het bureau betaal ik voor de rit met een goeie fooi en ik neem met een dankbare glimlach afscheid van de taxichauffeur. Soms troost hulpvaardigheid veel meer dan hulp waar je om moet vragen.

Bij de ingang word ik tegengehouden door een agent die me vraagt waarover het gaat. Ik leg hem uit dat ik aangifte wil doen van de diefstal van mijn tas.

'Wilt u zo vriendelijk zijn over een halfuurtje terug te komen; ze zijn daarbinnen een arrestant aan het ondervragen en het is een beetje foute boel...'

'Een halfuur? Maar ik moet naar mijn werk.'

'U moet even geduld hebben. We hebben namelijk maar een ruimte en ze zijn een arrestant aan het verhoren... Weet u wat, gaat u even een kop koffie drinken en zo meteen komt u terug en dan handelen we het af, goed?'

Ik gehoorzaam, verslagen door de omstandigheden. Als ik terugkom staat er een andere agent voor de deur met een dikke snor en een bars gezicht.

'U wou?'

'Ik kom een diefstal aangeven.'

'Dan ken u zich tot dat loket daar richten,' antwoordt hij te midden van blauwe speekseldruppels.

Ik treed binnen in de hal van het politiebureau en ontwaar een gezicht achter het matglas van het loket, zoals de besnorde agent het noemde.

'U wou?' vraagt de gezagsdrager die op een houten stoel zit. Zeker het wachtwoord op dit bureau.

'Ik kom een diefstal aangeven,' antwoord ik met een zucht.

Ondercommissaris Costa – dat staat tenminste op het naamkaartje dat aan de donkerblauwe boord van zijn uniform zit bevestigd – kijkt me uitdrukkingloos aan.

'Een momentje astublieft.' Hij beantwoordt drie achtereenvolgende telefoontjes die hij doorverbindt met meneer de commissaris, terwijl hij een stapeltje papier klaarmaakt met carbonpapier ertussen en dat met uiterste precisie in een schrijfmachine stopt die beslist een voorouder is van mijn al uit 1956 daterende Remington. De ondercommissaris van een politiebureau is zogezegd een manusje-van-alles. Hij verricht allerlei klusjes die zich voordoen. Van telefonisten- tot secretaressewerk, een beetje van alles. Als hij klaar is, kijkt hij me aan met een lege blik die me doet denken aan de konijnen bij de slager waar mijn moeder vaste klant is.

'De aangifte betreft?'

'Diefstal,' antwoord ik laconiek.

'Datum?'

'Pardon?'

'De datum van de diefstal, mevrouw.'

'Afgelopen zaterdag, 13 juni.'

'Plaats...'

'Praia da Cabana, Costa da Caparica.'

'Omschrijving van het voorval...'

'Ik liet mijn rugzakje achter in de kofferbak van de auto van mijn vriendin om naar het strand te gaan. Toen we bij de auto terugkwamen, was de rugzak verdwenen.'

'Hm... goed. En wat zat erin?'

'Alles: huissleutels, autosleutels, handtas...'

'Van de auto waarmee u was?'

'Nee, van mijn eigen auto.'

'Dus u was niet met uw auto...'

'Ik zeg u toch net dat ik met iemand anders' auto was!'

'Hm, en verder?'

'Handtas met alle documenten, een filofax.'

'Filo wat?'

Ik was even vergeten dat politieagent en filofax geen oude bekenden van elkaar zijn.

'Een agenda met telefoonnummers, afspraken, data van vergaderingen, kortom een werkagenda.'

'Hm... goed.'

De vingers hameren indolent op de toetsen, twee maar; de ondercommissaris heeft beslist geen typecursus gevolgd toen hij op de academie kwam. Tik, tik, tik, hier en daar een aarzeling, de ting aan het eind van de regel, het krrr als de machine met een ferme druk van de wijsvinger op de hendel naar de volgende regel gaat, alles op z'n elfendertigst. Achter in het versleten, groezelige kantoor laat een transistorradio enthousiast een smartlap klinken, *leugenaar, leugenaar...*

Met afwezige blik neuriet de ondercommissaris het liedje mee terwijl hij de verschillende open plekken van het aangifteformulier invult. Af en toe gaat de telefoon, tweemaal is de ondercommissaris het slachtoffer van beledigende telefoontjes en hij verbindt nog drie telefoontjes door met meneer de commissaris. Ongeduldig kijk ik op mijn horloge. Het is bijna halfelf en ik bedwing mijn wanhoop terwijl ik de Erecode van de Politie lees die in de hal aan de muur hangt. De lijst gestolen voorwerpen is ellenlang, zodat de ondercommissaris zich genoodzaakt ziet de pagina om te keren, een operatie die hij langzaam en methodisch uitvoert door de blaadjes van elkaar te scheiden en ze een voor een om te keren zonder ook maar één keer het carbonpapier te vergeten.

Ten slotte is de typeles ten einde. De ondercommissaris raadt me aan binnen een week naar de afdeling Gevonden Voorwerpen te bellen, maar volgens hem is het, als er geen geld bij zat, waarschijnlijk dat de spullen niet boven water komen. Ik kom tot de conclusie dat je maar beter altijd geld op zak kunt hebben om te voorkomen dat je bij een beroving de dieven het gevoel geeft dat ze genept worden.

Om tien over elf kom ik aan op de redactie. Om mijn te laat komen te rechtvaardigen, leg ik Paulo summier uit wat me is overkomen, maar hij maakt zich drukker om de cijfers van *Sabatina*, die een dalende verkoop van de laatste twee nummers aangeven. Hij vraagt me wat ik vind dat we moeten doen om de dingen te verbeteren. Ik stel een radicale verandering in de keuze van de omslagen voor. Mannequins en actrices in plaats van nationale beroemdheden. Dat verkoopt altijd, en bovendien zijn de interviews en artikelen die de nieuwsdiensten over dat soort sterren aanbieden redelijk goedkoop. Paulo kijkt me weifelend aan.

'Dat kunnen we natuurlijk doen, maar dan zijn we hetzelfde als de concurrentie, snap je wel? Wat ons blad onderscheidt is dat daar alleen mensen uit een bepaald, zeer selectief milieu verschijnen, waartoe slechts zeer weinigen toegang hebben. Je ziet mij geen voetballer interviewen, alleen golfers, snap je? We moeten dat elitaire gevoel dat ons blad karakteriseert niet verliezen,' enz. enz. Ik blijf maar knikken terwijl ik nageniet van de verse herinneringen aan het weekend. Sinds gistermiddag heb ik niets meer van Francisco gehoord. Ik wacht tot hij contact opneemt.

'Goed, ik zie dat je het met me eens bent,' besluit Paulo zelfverzekerd als altijd. 'Voor ik het vergeet, er heeft vanochtend ene Francisco Machado gebeld die op zoek was naar jou, hij zei dat hij voor de lunch zou terugbellen.'

Ik hervat mijn routine, maar kan me niet concentreren. Ik pijnig mijn hoofd om er een paar briljante ideetjes voor het volgende nummer uit te persen, maar kom alleen op de gedachte om rapportages te maken in de Alentejo, of de gebruikelijke kliek mensen te interviewen.

Francisco belt om vijf voor een. 'Lieverd, ik wacht hier beneden op je om te gaan lunchen. Kom je naar beneden?'

Het komt niet eens in me op om moeilijk te doen. Ik vlieg de trappen af en storm de auto in, klaar om hem een kus te geven.

'Ik heb een cadeautje voor je gekocht. Hier. Voor jou.' Hij reikt me een langwerpig, licht pakje aan. 'Het is een mobiele telefoon.'

'Waar heb ik zo'n kutding nou voor nodig,' protesteer ik heftig. Ik heb altijd een hekel gehad aan die krengen en alles waar ze voor staan. Maar nu er zomaar een in mijn hand ligt, krijg ik wel zin om op de knopjes te drukken.

'Dat is veiliger voor je. Zo ben je altijd bereikbaar, bij problemen of noodgevallen ben je niet langer afhankelijk.'

'Vooruit dan. Ik neem hem aan, maar op één voorwaarde: geef me nooit meer zulke cadeautjes. Ik heb liever chocolatjes, cd's, simpeler dingetjes, goed?'

'Goed. Waar gaan we eten?'

'Bij mij thuis?'

Francisco's ogen lichten plotseling op. Om alle twijfel weg te nemen leg ik mijn hand tussen zijn benen. Ik heb zin om te vrijen en wel nu, tussen een en twee, laat die lunch maar zitten.

Om halftwee komen we uit bed en hij zet me weer af voor de deur van de redactie. Ik heb nog tijd om een broodje kaas en een rissole te kopen in de dichtstbijzijnde koffiebar. Bij binnenkomst loop ik Odete tegen het lijf, die naar me glimlacht als een boer met kiespijn. Aangezien ik in een goed humeur ben, vraag ik haar of ze iets nodig heeft.

'Nee, niets', antwoordt ze met een benauwde blik. Waarschijnlijk wil ze me iets vertellen, maar is ze nog niet zover.

Halverwege de middag belt Luisa.

'En, ben je nog uit eten geweest met Francisco?'

In zes alinea's vertel ik haar over het etentje bij de Zweden, zijn liefdesverklaring, de reis naar Évora, de wandelingen en de hapjes en mijn escapade tijdens het lunchuurtje.

'Heel goed, eindelijk ben je weer de oude. Dus hier is sprake van een affaire...'

'Geen affaire, we hebben een relatie', stel ik vol trots vast.

'Jij bent altijd zo formeel in die zaken, zo haal je de lol er vanaf. Snap je dan niet dat een affaire veel meer spirit heeft?'

'Smaken verschillen. Jij begint relaties voor het genot en ik als investering, zie je het verschil?'

'Het is best, hoor, maar niet te serieus, anders schrik je die jongen nog af.'

'Afschrikken? Hij wilde me al meenemen naar Vila Viçosa om te gaan theedrinken bij zijn mammie, en jij denkt dat ík alles te serieus neem?'

'Dat zegt hij alleen maar om te zien hoe je reageert. En, ben je gegaan?'

'Natuurlijk niet.'

'Goed zo. Tien tegen een dat hij niet wilde dat je zou gaan.'

'Tien tegen een dat hij wilde van wel.'

'Oké, geen geruzie meer. Ik ben blij voor je. Maar nu niet van de aardbodem verdwijnen, hoor.'

Ik hang op, na te hebben beloofd dat ik haar nog voor het weekend bel.

Kort daarna belt Mariana.

'Hee, hoe zit het, nieuw vriendje?'

Luisa moet intussen al een mailing hebben rondgestuurd. Mariana hoort mijn beschrijvingen aan en zucht in stilte aan de andere kant van de lijn.

'Nou jij nog: kom uit die cocon en sla iets aan de haak,' verordonneer ik als een maarschalk.

'Wie weet, wie weet,' zegt Mariana vlug, met een stem van iemand die geen geduld heeft voor mijn raadgevingen. We nemen haastig afscheid want er komt een enorme bos gele margrieten mijn kantoor in met een kaartje. *Gelukkig ben je mijn vriendin. Ik laat je nooit meer gaan.* Ondertekend met F. Ík heb het flink te pakken, maar die jongen is helemáál van de wereld. We hebben net gedag gezegd en gaan straks weer dineren; dit begint een overdosis te worden. Paulo komt binnen met een blik van verstandhouding.

'Mooi zo, er is dus een man in het spel!... Kan die nieuwe vriend van je niet een paar interviewtjes voor ons regelen... is hij niet de neef van *Comendador* Machado Rocha?'

Dat is inderdaad zijn oom, maar ik antwoord dat ik geen flauw idee heb.

'Da's niet best, Madalena, da's niet best. Van dat soort contacten moet je juist altijd profiteren,' en immuun voor mijn vernietigende blik loopt hij weg. Dat ontbreekt er nog maar aan, dat mijn eindredacteur voor het tijdschrift profijt wil hebben van mijn privé-leven!

Zoals was te verwachten, voer ik de hele middag geen klap uit. Ik beperk me ertoe de tijd tussen mijn vingers door te laten glippen tot zeven uur, het tijdstip waarop we hebben afgesproken dat Francisco me komt halen. Om tien over zeven belt hij me op de mobiele telefoon waarvan ik het bestaan intussen al helemaal was vergeten en zegt dat hij beneden staat. Hij ziet er mooi uit, met een spectaculaire das waarop ik figuurtjes uit de fabels van Lafontaine onderscheid. Als ik diezelfde das een maand geleden had gezien, had ik het waarschijnlijk een onvergeeflijk smakeloos detail gevonden. Maar mijn ogen hebben hun objectiviteit verloren, ze zien alles door een roze bril...

Ik nodig hem uit om bij mij thuis te komen eten, ofschoon ik niets in mijn koelkast heb, en uiteindelijk eten we biscuittjes en drinken we melk met Ovomaltine nadat we ons verlangen hebben gestild. Ik zit vol vrolijkheid en energie, alsof ik weer tot leven ben gekomen na een lange, zinloze winterslaap. Zijn aanwezigheid is betoverend, heerlijk, opwindend – in één woord perfect. Hij is degene die naar de keuken gaat en een dienblad klaarmaakt dat hij me op bed brengt, met brood, biscuittjes, pruimenjam, boter en een beker hete chocolademelk zonder suiker.

We zijn het er stilletjes over eens dat hij bij me blijft slapen, en hoe vreemd het ook lijkt, het idee stoort me niet.

'We zouden samen een reis moeten maken,' zegt Francisco genietend voor hij in slaap valt. 'Naar Brazilië, of Kaapverdië, wat vind jij?' Vervolgens slaapt hij in en laat mij meer dan een uur dagdromen over die expeditie, me voorstellend wat voor kleren ik zal dragen en wat voor foto's we zullen maken...

Deel 2
september 1996

I

Vakantie. Het hele jaar droom ik ervan en als eindelijk de grote dag is aangebroken, word ik steevast overvallen door de angst dat ik er niet optimaal van zal kunnen genieten. Het vliegtuig zit vol Portugese stelletjes die ook van het reisbureau te horen hebben gekregen dat Ilha do Sal een fantastische bestemming is voor een betaalbare prijs. Twee of drie ervan zijn waarschijnlijk op huwelijksreis, dat zie je aan hun afwezige, bijna verdwaasde blik. Andere lopen al aardig in de jaren en stralen de typische relaxedheid uit van stellen die, hoewel ze samenleven, weten dat ze van de ene op de andere dag kunnen scheiden als ze dat de beste optie vinden.

Ik vlucht in de stilte en Francisco probeert deze te respecteren, zij het met moeite. Om te zorgen dat ik me geestelijk niet verwijder, pakt hij mijn hand, zoals kinderen doen bij hun moeder. Maar kort nadat we op stabiele hoogte zijn gekomen, kan hij het niet laten om toenadering te zoeken.

'Doe jij altijd zo vreemd als je in een vliegtuig zit?'

'Nee, alleen als een opdringerig type me zit te klieren.'

Francisco wendt zijn gezicht af en geeft maar geen antwoord. Ik ben al een tijdje zo bezig: kil, bits, onaardig, haast niet te harden. De waarheid is dat ik nooit zeker heb geweten of ik deze reis wel wilde maken. Toen we hem drie maanden geleden planden, leek alles perfect. Maar nu ben ik aan het twijfelen, heroverwegen, aarzelen en opnieuw aan het twijfelen aan mezelf, aan hem, aan mijn gevoelens voor hem. Van laaiende passie is onze relatie onvermijdelijk overgegaan op een lauwe, haast institutionele verstandhouding. Hoewel we niet samenwonen laat Francisco bij mij thuis al kleren achter in de kast, liggen al zo'n beetje overal kleine blijken van zijn aanwezigheid en is hij definitief deel gaan uitmaken van mijn leven. En dat is mijn schuld, want met de voorbarigheid waar ik in mijn leven al zoveel nadeel van heb ondervonden, heb ik me laten inpakken in deze romance, waar ik nu niet zo heel erg meer in geloof...

Aangezien in relaties onontkoombaar de wet van vraag en aanbod regeert, probeert Francisco terug te krijgen wat hij begint te missen; hij verliest zijn ongedwongenheid en zelfvertrouwen. En het ergste is nog dat ik niet de minste wroeging voel dat ik hem dit aandoe. Het zou natuurlijk anders zijn als ik niets van Ricardo had gehoord. Eind juli belde hij me op de redactie om me te vertellen dat hij op doorreis in Lissabon was, en hij nodigde me uit voor een kop koffie op het vliegveld. Een terloopse ontmoeting, geciviliseerd, kort en onschuldig. Maar het was voldoende om me met beide benen op aarde te zetten en me aan het denken te zetten over mijn relatie met Francisco. Ik ging koffiedrinken met Ricardo en toen ik wegliep trilden mijn benen en handen, ik kon haast niet meer praten door de brok in mijn keel en mijn maag leek wel een grasveld met tweeëntwintig voetballers tijdens de finale van het wereldkampioenschap, zo chaotisch op hol. Diezelfde avond bedacht ik een smoesje voor Francisco om alleen thuis te kunnen eten en haalde ik de doos met Ricardo's foto's en brieven overhoop. En toch was onze ontmoeting zo vreemd, zo kort en toevallig, zo gratuit, haast oppervlakkig. Ricardo vertelde alleen maar waarom hij via Lissabon reisde en keek me strak aan, recht in mijn ziel, zoals alleen hij dat kan. Hij vroeg me niet eens of ik een ander had en als hij dat wel had gedaan, had ik waarschijnlijk gelogen. Twintig luttele minuten, twee koppen koffie en twee flesjes bronwater waren voldoende om me opnieuw te laten voelen dat ik gebonden was, onontkoombaar en voor eeuwig gebonden aan hem. Misschien had hij precies hetzelfde gevoel, want toen we afscheid namen had hij niet meer die stralende glimlach waarmee hij me begroette toen ik hem weer zag, in een menigte mensen die automatisch in rook opging zodra ik hem ontdekte, terwijl hij discreet rondkeek, in onrustige en ongemakkelijke afwachting.

Dat moment was voldoende om alles op z'n kop te zetten. En de volgende dag, toen ik Francisco opnieuw zag en besefte dat mijn liefde voor hem niet meer was dan een verlangen naar genegenheid, aandacht en gezelschap – het toverrecept voor middelmatige tweederangsliefdes – begon ik een nauwelijks merkbare stilzwijgende aversie jegens hem te ontwikkelen, zonder dat ik hem vertelde wat er in me omging. De vakantie was toen al geboekt en ik had de moed niet om af te zeggen.

Nu zit hij hier naast me en ik ben ver weg, ik vlieg in mijn eentje door de lucht, ver van dit vliegtuig dat volgepakt is met gewone stervelingen zoals wij, die ervan dromen op een eiland te landen en hun trieste, vervelende en o, zo saaie dagelijks leven te vergeten. De reis duurt lang en daarom heb ik me bewapend met mijn walkman, waar ik al sinds mijn studententijd geen afstand van kan doen. Ik luister naar de laatste cd van Rickie Lee Jones, terwijl ik mijn gedachten op orde probeer te brengen.

Alsof het nog niet genoeg was, kreeg ik twee dagen geleden een lange brief van Ricardo die ik minstens twintig keer heb herlezen, waarin hij suggereerde dat onze romance eigenlijk toch nog niet was afgelopen en dat de winter zonder mij moeilijker voor hem was geweest om door te komen dan 'alle winters waarin mijn hart al verzonken is geweest'.

Iemand die zo goed kan schrijven als hij, kan het niet laten om dit dodelijke en trefzekere wapen – het geschreven woord in afwezigheid – in te zetten. Bezorgde de ontmoeting op het vliegveld me koude handen en een droge keel, de brief hield me urenlang uit mijn slaap, bracht me aan het huilen van verlangen en liet me twijfelen aan de al dan niet ingebeelde gevoelens van mijn hart sinds juni, toen ik iets kreeg met Francisco.

Nu heeft het hersenspinsel zich meester gemaakt van mijn herinnering. Het is binnengedrongen in mijn ziel, die ik al beveiligd waande door de nieuwe bezetter. Francisco zit naast me, maar ik heb hem nog nooit zo ver verwijderd gezien van mij en van alles wat ik wil. Ineens vallen al zijn gebreken me op: hij is zwaarbehaard, zodat ik elke dag de badkuip moet schoonmaken, hij vindt het leuk om wrede, goedkope grappen te maken die me irriteren en me een ongemakkelijk gevoel geven, en hij heeft een al te excentrieke smaak voor overhemden. Bovendien is hij intens traditioneel, waar ik regelmatig niet goed van word, al voer ik een innerlijke strijd om dat gevoel niet de overhand te laten krijgen. Hij gaat naar voetbalwedstrijden, houdt van bier met tremoços, maakt andere vrouwen het hof waar ik bij sta en heeft in de loop van de tijd zijn punctualiteit verloren. Ik weet niet of zijn ware ik naar buiten komt of dat ik degene ben die hem met andere ogen ben gaan zien, maar zeker is dat er iets radicaal is veranderd. Ik geloof niet meer dat deze relatie ergens heen gaat of een toekomst heeft. En aangezien ik er niet in slaag in het heden te leven zonder luchtkastelen te bouwen – ook al weet ik bij voorbaat dat dat alleen maar kunstgrepen zijn die me helpen om buiten de wereld te leven en te blijven dromen – put ik geen enkel plezier meer uit onze relatie. Alleen het vleselijke, puur fysieke, dat bijna gelijkstaat met dat van een goed maal. Francisco weet me aan zich te binden via het bed, maar toch geef ik me niet meer over op dezelfde manier, want mijn hart is er nog slechts gedeeltelijk bij, net genoeg om hem niet te laten merken dat de rest ontbreekt. Vaak vraag ik me af of mannen een idee hebben van wat er zoal omgaat in het hoofd van de vrouw aan hun zijde. Afwezigheid bij aanwezigheid blijft nooit onopgemerkt, maar misschien reageert Francisco zoals veel vrouwen wanneer ze merken dat hun man een ander heeft: ze doen alsof het niets met hen te maken heeft en wachten geduldig tot de crisis vanzelf overgaat. Het ergste is dat de crisis vaak niet overgaat maar zich in het leven van de mensen installeert en een permanent gegeven wordt. Catarina leeft al maanden achtereen zo, heimelijk de telefoonrekeningen van Bernardo nalopend zonder de moed op te brengen om hem erover aan te spreken; ze weet dat ze hem deze keer niet zou kunnen vergeven en dat dat waarschijnlijk een scheiding zou betekenen. En dat terwijl zij al die jaren alles maar heeft geslikt om een solide huwelijk te hebben, al was het alleen maar in schijn, en haar kinderen een prettige thuissituatie te kunnen bieden. Nu de confrontatie aangaan zou voor haar een te groot risico betekenen; daarom trekt ze zich in zichzelf terug en speelt ze goed weer, in de hoop dat de goddelijke voorzienigheid haar haar man terugbrengt zonder een huppelkutje in zijn kielzog.

Terwijl ik hierover nadenk zit Francisco naast me *Huwelijksvlucht* van Alberoni te lezen. Ik hoop niet dat hij een aanzoek aan het voorbereiden is, want dan zou hij wel een allerbelabberdst moment uitkiezen. De ontmoeting heeft me in elk geval laten beseffen dat ik nooit met Francisco zou kunnen trouwen. Het zou geen serieus, overtuigend en volkomen huwelijk zijn, het zou nooit een overgave zijn. Nu, als ik achterom kijk en deze verhouding van me objectief bekijk, zie ik dat hij er meesterlijk in is geslaagd me op een cruciaal moment te versieren. De depressie na Ricardo liep op zijn eind, ik was het alleenzijn beu en stond te popelen om de zomer glorieus in te wijden. Rickie Lee Jones is uitgezongen en ik draai de cassette om om Sting te horen, terwijl ik achteroverleun in de ongemakkelijke stoel die naar industrieel schoonmaakmiddel ruikt, en mijn ogen half dichtdoe op zoek naar wat innerlijke rust.

Ik probeer praktisch te zijn: het hele jaar heb ik op deze vakantie gewacht; nu het zover is, kan ik er maar beter van genieten. Daarvoor hoef ik me alleen maar te oefenen in het opnieuw stellen van prioriteiten. Punt één: ik ben hierheen gekomen omdat ik het wilde. Punt twee: op zijn verliefde, waarschijnlijk in een moment van hallucinatie geschreven brief na, heeft Ricardo niets meer van zich laten horen, wat mogelijk betekent dat hij niet eens meer aan me denkt. Punt drie: mijn vriendje, die naast andere kwaliteiten en attributen een intelligent man is, heeft waarschijnlijk al door in wat voor staat ik me bevind, maar geeft me, heel wijs en diplomatiek, de ruimte. Hij houdt zich gedeisd en verdraagt in stilte de onzekerheid die ik deze laatste weken heb uitgestraald. Of het moet zo zijn dat hij niet eens heeft gemerkt wat er aan de hand is... Maar nee, dat is niet mogelijk. Tenzij hij om de een of andere reden tijdelijk de capaciteiten heeft verloren die me zo aangenaam verrasten toen ik hem leerde kennen. Francisco is absoluut niet onnozel. Ik weet zeker dat hij voelt wat ik voel. Hij geeft me alleen de tijd en de ruimte om te zien of ik terugkom zonder dat hij me hoeft te roepen.

'Francisco...'

'Ja?...' antwoordt hij zonder zijn ogen van de bladzijde te halen.

'Denk je dat het nog lang duurt voor we gaan landen?'

'Twee uur misschien... Wil je mijn boek lezen?'

'Nee, bedankt. Ik heb mijn eigen. Ik heb geen zin om te lezen...'

'Maar ik wel,' antwoordt hij een tikje bits.

Oké. Ik verdien het, ik heb hem een opdringerig type genoemd en nu laat hij me links liggen. Des te beter.

Pas wanneer het vliegtuig het eiland Sal nadert, verbreekt Francisco de ijzige stilte en wisselt wat indrukken met me uit over de maanachtige woestijn die vanuit het raampje in zicht komt.

Ze hadden me al gewaarschuwd dat het landschap van Sal triest en donker was, als een immens verbrand terrein. Nou ja. Voor het dubbele bedrag had ik naar São Tomé kunnen gaan, heerlijk groen en oogverblindend weelderig, of anders hadden we kunnen gaan duiken in de Caraïben. Ik had ook voor Cuba kunnen kiezen, maar ik had geen trek om ergens heen te gaan waar iedereen deze zomer al zijn vakantie heeft gepland. Kaapverdië is een beetje uit de mode, en dat bevalt me wel. Het betekent dat ik waarschijnlijk geen bekenden tegenkom – een van mijn voornaamste doelen van de vakantie.

Ietwat aarzelend landt het vliegtuig op de verlaten landingsbaan. Er staat een toeristenbusje te wachten dat al aardig oud maar goed geconserveerd is, met de naam van het hotel onder de ramen geschilderd, en dat ons over een smalle, verlaten weg naar het hotel brengt. De kamer is eenvoudig en zonder pretenties, met aan het plafond de onvermijdelijke ventilator, wit en lui, die smeekt of we hem niet willen aanzetten. De stilte bemoeilijkt me nog steeds het spreken en ik span me in om enigszins natuurlijk antwoord te geven op Francisco's commentaar op onze omgeving. Ik begin te vrezen dat deze reis echt een vergissing is geweest. Ik loop de kamer uit, die direct op het strand uitkomt, en ga zitten kijken naar de immense blauwe zee die uitnodigt tot nadenken.

'Je wilt niet eens je koffer uitpakken...' merkt Francisco op, terwijl hij langs me loopt met zijn handen in de zakken van zijn zwembroek en de badhanddoek om zijn schouders. 'Nou... ik neem een duik. Tot zo.'

En hij verwijdert zich met grote passen, alsof hij goed duidelijk wil maken dat mijn gezelschap hem niet interesseert. Mijn ijzige blik omvat zijn gestalte. Ik zie hoe klein hij is, een beetje gedrongen. Het folkloristische dessin van zijn zwembroek staat me niet aan. Roze met gele en witte bloemetjes. Hij is vast gillend duur geweest, zeker gekocht in een van die herenmodewinkels waar ze steevast een nulletje meer bij de prijs zetten dan wat redelijk zou zijn geweest. En dan die knalrode handdoek met het merkje op een van de punten, te groot om niet op minstens tien meter afstand op te vallen... Ik zie de hemden al voor me die hij voor de vakantie zal hebben gekocht, allemaal van een goed merk en kakelbont.

Wat doe ik hier eigenlijk, geïsoleerd op een eiland met alleen zee en zand, op duizenden kilometers afstand van de rest van de wereld met een vent van wie ik niet hou? Waarom ben ik niet op het vliegtuig naar Pamplona gestapt om Ricardo te gaan zoeken en deze idiote, verlammende passie te consumeren die geen ruimte of zin overlaat voor iets of iemand anders? Waarom ben ik niet eerlijk tegen Francisco geweest en heb ik niet met deze schijnvertoning gekapt voor het tijd was om in het vliegtuig te stappen en naar dit niemandsland hier te komen, waar ik een hele vakantieweek ga verspillen in het gezelschap van de verkeerde persoon? Ik buig mijn hoofd, geconcentreerd op al deze gedachten, terwijl ik furieus f-en en r-en in het zand schrijf die als imaginaire vijanden de degens kruisen.

Een poosje later komt Francisco terug van zijn duik en gaat naast me zitten.

'Zit je nou nog hier? Ga eens gauw je badpak aantrekken en kom mee zwemmen. Het water is verrukkelijk! Lekker warm en glashelder... Kom, doe niet zo flauw.'

Ik sta niet erg overtuigd op, hoewel ik inzie dat hij gelijk heeft. Na een halfuur in zee voel ik me weer vol energie en vol goede wil ten opzichte van hem. Het is alsof het water de nare gevoelens van me heeft afgespoeld.

We gaan liggen in de zon die tussen de wolken door onze witte, onbeschermde huid laat verbranden. Francisco geeft me een hand en vlijt zich tegen me aan, hij komt bijna op me liggen en begint me lange, zoutige kussen te geven, dorstig naar seks en aandacht. Even later gaan we terug naar onze kamer en we vrijen, hij om de ongerustheid waarin ik hem heb gestort te ontladen, en ik bijna als om me te verontschuldigen voor mijn afstandelijkheid.

Als we klaar zijn komt hij naast me liggen, zijn handen verdwijnen in mijn haar in een eindeloze opeenvolging van strelingen, terwijl hij doorgaat me te beminnen met zijn lieve, uitpuilende ogen.

'Dat koppie van jou ligt echt overhoop...' zegt hij met een wat droevig glimlachje.

'Wat je zegt – maar dit is geen moment om het daarover te hebben.'

'Goed,' antwoordt hij terwijl hij mijn hoofd aan zijn borst drukt, 'beloof me dat je je hoofd tenminste tijdens de vakantie aan kant houdt en ons gezamenlijke verblijf hier gebruikt om plezier te maken. Daarna zien we wel weer...'

Ik heb bewondering voor zijn vermogen om alles te begrijpen vrijwel zonder dat ik hem iets hoef uit te leggen. Hij weet wat er speelt. Hij begrijpt hoe ik me voel en toch vraagt hij me heel bescheiden om niet zijn vakantie te bederven. Waarschijnlijk heeft hij wel door dat ik grote twijfels koester over hem en over ons samenzijn. Maar hij heeft liever dat de tijd me op de goede weg leidt en respecteert mijn geaarzel met kalmte en sereniteit. Het lijdt geen twijfel dat Francisco, met alle gebreken die mijn klinische blik heeft gesignaleerd en die ik hem aanreken, als persoon de moeite waard is.

De dagen verstrijken traag en zonovergoten, met lunches vol zeefruit, de verplichte siësta na het eten, als het zo warm is dat je niet over straat kunt lopen, en eindeloze zwempartijen in zee en tochtjes op de windsurfplank, waarop ik heerlijk ronddobber, op mijn buik op het achterstuk liggend terwijl het water mijn dijen en voeten streelt. We praten niet veel, want Francisco heeft kennelijk als veroveringsstrategie gekozen voor de non-verbale communicatie. We brengen de dagen door met lezen, slapen en vrijen, met het perfectionisme van twee lichamen die elkaar al goed kennen en steeds meer en beter genot willen. We eten, we slapen, we lezen, we zwemmen, we beminnen elkaar, we wandelen en we zonnebaden. 's Avonds gaan we te voet naar het dichtstbijzijnde dorp, waar we iedere avond een ander restaurant uitproberen, en eten met plezier de lekkernijen van het eiland: vissen met een onbekende smaak, *farinha de mandioca* en andere Afrikaanse lekkernijen die onze smaakzintuigen louteren en onze maag versterken. Daarna gaan we naar een café of een disco en dansen we de *morna* tot de vermoeidheid of het verlangen naar genot zo sterk worden dat we terugkeren naar het hotel om de nacht af te sluiten. Ik voel me met de dag beter, alsof ik me bevrijd van het spook Ricardo dat met me is meegekomen in mijn koffer. Francisco weet me opnieuw mee te voeren, met subtiliteit en humor, met genegenheid en, ik zal het niet ontkennen, met veel goede seks.

Voor we er erg in hebben, is het de vooravond van ons vertrek terug naar Lissabon. Zolang de dagen voorbijgingen, leek het alsof ze zich loom aaneenregen. Nu de vakantie ten einde komt, word ik overvallen door het gevoel dat hij erg kort was, te kort om zelfs maar aan het idee te wennen. We besluiten de koffers de avond van tevoren in te pakken om de laatste dag tot de laatste minuut te kunnen genieten. Francisco vouwt in stilte netjes zijn kleren op, terwijl ik de crèmes en shampoos die verspreid over de badkamer lagen in mijn toilettas opberg. Als ik terugkom in de kamer zit hij op bed met een vel papier in zijn handen.

'Kun je me uitleggen wat dit is?'

Ik schrik van zijn dodelijke blik. Opeens herken ik de contouren van de envelop die ik uit Pamplona kreeg. Ik ruk hem het papier uit handen en berg het op in mijn toilettas.

'Daar heb jij niks mee te maken.'

'Nee? Dus jij ontvangt liefdesbrieven van je vroegere vriendje en ik heb daar niets mee te maken? Waarom houd je die rotzooi voor me verborgen? Je hebt die brief nota bene uit Lissabon meegebracht, je hebt hem ontvangen voor we op vakantie gingen en je kon het me niet eens vertellen?'

'Ik wilde je niet kwetsen,' antwoord ik zwakjes.

'Hang niet de slimme tante uit! Je wóu het me niet vertellen! Heb je zo weinig vertrouwen in me?'

'Dat is het helemaal niet, het is...' De woorden willen niet komen; ik heb niets om me mee te rechtvaardigen. Ik had de brief in Lissabon moeten laten óf ik had het hem moeten vertellen. Het was fout om een stuk papier mee te nemen dat alleen maar narigheid kon brengen.

'We hebben zo'n fijne vakantie gehad, maar jij moest zonodig alles verpesten, hè? Jij kunt niet leven met al het goede dat je hebt, je moet je altijd gefuck op de hals halen dat jou het leven verziekt en ook degene die bij je is! Je bent een stomme koe en een masochiste.'

'Je hebt het recht niet om zo tegen me te praten.'

'En jij hebt het recht niet om me voor paal te zetten en me in mijn gezicht uit te lachen! Godverdomme, we zijn sinds drie maanden samen en alles ging zo goed, waarom moest die vent weer in je leven opduiken? En je mag me ook eens uitleggen waarom hij je zo'n brief schrijft.'

'Je had die brief niet hoeven te lezen...'

'Nee, inderdaad niet,' antwoordt hij ironisch. 'Mijn vriendin gaat met me op vakantie en in haar bagage zit een brief van haar recente ex, waarin hij zegt dat hij zo'n heimwee naar haar heeft en dat het verhaal tussen jullie misschien nog niet ten einde is, maar ik, degene met wie ze vrijt, met wie ze slaapt en met wie ze zegt zo gelukkig te zijn als ze niet eerder van haar leven is geweest, ík heb daar niets mee te maken. Volgens mij wil jij misbruik maken van mijn geduld, Madalena. Ik kan me wel van den domme houden, maar ik bén absoluut niet dom. Daarom was je dus zo afstandelijk toen we in Kaapverdië aankwamen, je zat de hele tijd aan hem te denken, nietwaar? En ik maar als een sukkel de koffers dragen en wachten tot je rotbui overging. Als je het me had verteld, hadden we deze vakantie samen meteen kunnen overslaan, vind je niet? Dan was jij naar je Baskische vriendje in Pamplona gegaan en had ik een of ander meisje meegenomen dat wél goed bij haar hoofd was.'

Het gesprek geeft me een ongemakkelijk gevoel en kwetst me, maar ik moet hem wel gelijk geven.

'Sorry, Francisco, je hebt volkomen gelijk. Ik had de brief niet moeten meenemen...'

'Dat lijkt me niet het antwoord. Je had geen aandacht moeten schenken aan de inhoud van de brief, snap je? Zolang je niet met die vent breekt, zul je er niet in slagen een normale relatie te hebben met welke andere persoon dan ook.'

'Maar je wist dat Ricardo in mijn leven was...'

'Wist ik dat? Wat ik wist was dat die gozer bestond, verder niet. Ik dacht dat het feit dat wij een verhouding kregen, betekende dat die vent uit jouw hoofd was verdwenen. Of ben ik nou naïef? Het was niet voor niets dat het je zo lang kostte om te besluiten iets met mij te beginnen, hè? Trouwens, misschien is die vent wel in jouw leven, maar ik twijfel er zwaar aan dat jij ook in het zijne bent!'

'Met dat soort terroristische tactieken om onzekerheid te zaaien bereik je heus niet het gewenste effect...'

'Terroristische tactieken??? Het gewenste effect is die vent uit jouw leven zien te krijgen, maar zo te zien is hij daar allang uit weg. Is het je niet opgevallen dat op de brief niet eens een afzender staat? Dacht je dat als hij zo verliefd op je was als hij zegt, hij niet de moeite zou hebben genomen om de afzender erop te zetten, zodat je hem zou kunnen antwoorden?... Doe toch niet zo naïef en kom eens met je benen op de grond.'

Wat hij zegt doet me pijn, dus ik besluit de laatste woorden te negeren.

'Vind je dat het zo lang duurde voor ik iets met jou begon?

Het gebeurde van de ene op de andere dag! Jij hebt me niet meer met rust gelaten sinds we kennismaakten en...'

'Dus het is mijn schuld?' roept hij uit met een cynische, ijzige lach. 'Jij hebt vanaf het begin kat-en-muis met me gespeeld! Het enige wat ik heb gedaan is je verleiden, en waarom? Omdat ik verliefd op je was! Vind je dat verkeerd?'

Ik heb geen antwoord. Mijn keel is zo uitgedroogd dat ik geen geluid meer kan uitbrengen. Ik ben er gloeiend bij en hij heeft gelijk.

'Weet je wat ik vind? Dat we het maar beter kunnen uitmaken; jij gaat verder met jouw leven en ik met het mijne. Ik ga niet investeren in een relatie met iemand die nooit weet wat ze wil. Ik heb nog wel meer te doen, en daarbij hebben we samen te veel goeds meegemaakt om het zover te laten komen. Als jij niet weet wat je wilt, is dat jouw probleem. Ik weet in elk geval dat ik geen relatie wil met iemand die de helft van de dag aan een ander loopt te denken. Emotionele masturbatie, dank je feestelijk.'

En hij keert me de rug toe om verder te gaan met inpakken. Ik voel mijn handen ijzig worden, mijn benen zijn trillerig en krachteloos. Ik word bevangen door een gruwelijk en niet te stoppen onbehagen. Ik heb alles verpest. Alles. Mijn relatie met Francisco, de vakantie, zijn verliefdheid op mij. Ik ben een ontzettende stomkop, ik kan alleen maar alles verzieken.

'Francisco...'

'Laat me met rust, alsjeblieft. Dwing me niet om nog kwaaier te worden, laat me met rust.'

We dineren zwijgend in het hotel. Francisco blijft in de bar zitten schaken met een Duitser die we op het strand hebben ontmoet; ik ga terug naar de kamer en slik twee kalmeringspillen om te slapen en de ruzie te vergeten.

De volgende ochtend ga ik nog naar het strand voor een laatste duik, terwijl Francisco de hele ochtend ligt te snurken.

Ik heb hem niet horen binnenkomen, ik neem aan dat hij behoorlijk laat naar bed is gegaan. Ik voel me leeg en verdoofd en heb een vreselijk gevoel van verlies en onmacht.

We keren terug naar Lissabon in de meest ongemakkelijke en gespannen stilte die maar mogelijk is. Tijdens de vlucht zet ik mijn koptelefoon twintig keer op en af om te proberen met hem te praten, maar zonder succes. Ik herken de persoon die op de stoel naast me zit nauwelijks. Het is een doofstomme en ondoordringbare Francisco die alleen zijn mond opent om smakeloze, sarcastische grappen te maken. En dat doet hij opzettelijk om me te kwellen. Hij wil dat ik hem haat, dat ik vergeet hoe hij van me heeft gehouden. Hij is vastbesloten me aan den lijve te laten voelen dat ik hem kwijt ben, daarom levert hij ironisch commentaar op de plannen die hij voor ons had gemaakt. Hij kijkt dwars door me heen alsof ik niet besta en maakt negatieve op- en aanmerkingen over alles en niks. Na vijf uur arriveer ik in Lissabon met een hoofd vol tranen. Hij verzoekt me om samen een taxi te nemen om bij mij zijn spullen op te halen. Twintig minuten later komt hij naar buiten met zijn tandenborstel, crème en scheerapparaat, zijn flesje eau de toilette, een stuk of wat boxershorts, een lading overhemden en een paar broeken.

'Een dezer dagen kom ik langs voor de cd's en de rest,' en hij haast zich zonder omkijken de trap af.

Ik ben opnieuw alleen, baas in mijn eigen ruimte, verzonken in de stilte van een huis zonder gezin. Francisco was niet mijn gezin, maar hij was een aanwezigheid, en nu is die aanwezigheid weg. Zou dit verhaal hier eindigen? Ik vrees van wel, maar hoop van niet. Goed of slecht, deze man heeft me weer tot leven gewekt, me weer gelukkig gemaakt en me genot, aandacht, genegenheid, passie en een enorme levenslust gegeven. Nu ben ik weer aan mezelf overgeleverd, zonder daarvoor getraind of eraan gewend te zijn. Want ik ben vergeten hoe het was om alleen te leven, zonder iemand om mee te praten aan het eind van de dag en zonder het minste idee wat ik met mijn leven moet doen. Ik heb een relatie op het spel gezet die me gelukkig maakte, in ruil voor niets. Slechts de irrealistische, kinderachtige illusie van een relatie die al lang geleden is afgelopen en die me nooit heeft gegeven wat ik wilde. Ik heb alles verpest. En nu heb ik niets.

II

Dat is nou echt Antonio: aanwezig en solidair op kritieke momenten. Zoals gewoonlijk is hij een kwartier vroeger dan we hadden afgesproken. Door zijn leeftijd heeft hij voor alles de tijd. Hij loopt langzaam en spreekt ongehaast, terwijl hij de zielen van zijn medemens observeert en portretteert, in zijn hart en op het doek. Hij schildert niet meer voor het geld, alleen maar voor zijn plezier. En het is zijn plezier in het leven – ondanks zijn leeftijd, zijn vermoeidheid, het gewicht van de jaren en het een voor een wegvallen van zijn vrienden door hartaanvallen of kanker – dat hem levend en wel houdt, ondanks zijn ouderdomskwaaltje. Want of hij het wil of niet, daar heeft hij de leeftijd voor.

'Op je zeventigste doe je alleen nog maar waar je zin in hebt... behalve dan wat je niet meer voor elkaar krijgt,' zegt mijn schilder met een matte glimlach, de zoete herinnering aan de man die tussen de jaren zestig en tachtig een van de grootste hartenbrekers van Lissabon was. Nu heeft hij zijn glamour, bijna al zijn haar en ook al wat tanden verloren, maar de wijsheid der jaren en de luchtigheid waarmee hij het leven blijft bekijken, verlenen hem een onweerstaanbare charme. Hij praat over vrouwen met de tedere gevoeligheid van iemand die weet hoe ze te beminnen. Hij is een geboren veroveraar, ridderlijk en attent. Hij kan goed luisteren, lachen, andermans tranen drogen haast zonder ze aan te raken en iedere vrouw aan wie hij zich wijdt het gevoel geven dat ze de beste, mooiste en intelligentste is, een volmaakte godin op aarde. En dat doet hij op een gulle en belangeloze, soms zelfs religieuze manier, als een missionaris die medicijnen en bijbels uitdeelt in een dorp dat is verwoest door heidenen. Er zijn twee goede eigenschappen die Antonio nooit is kwijtgeraakt: zijn gevoel voor humor jegens anderen en zijn vermogen tot zelfspot. Dat alleen al maakt dat ik hem meer waardeer, bewonder en liefheb dan welke andere man in mijn leven ook.

We gaan dineren in een kroegje, Estrela da Sé, dat ons toevluchtsoord is sinds we elkaar hebben leren kennen, meer dan tien jaar geleden bij de lancering van een boek in Livraria Barata. Ik was twintig en Antonio zestig. Hier komen we altijd en de obers behandelen ons met de bijna familiaire, warme achteloosheid die alleen vaste klanten te beurt valt.

Ik vertel hem wat er is gebeurd met Francisco, hoe hij het uitmaakte toen hij de brief van Ricardo ontdekte en hoe alleen en verlaten ik me weer voel. Antonio hoort me aandachtig en geduldig aan en we krijgen het onvermijdelijk over trouw.

'Zolang de mensen niet begrijpen dat trouw niet betekent dat je geen avontuurtjes hebt met anderen, maar dat je trouw bent aan jezelf, zullen relaties altijd ten dode opgeschreven zijn. Ik ben bevriend met een echtpaar van mijn leeftijd, mensen die altijd zo hebben geleefd, met respect voor elkaars ruimte en elkaars liefdes. Zij zegt dat het aan hun ontrouw te danken is dat ze een gelukkig paar zijn gebleven sinds hun bruiloft, meer dan veertig jaar geleden. Het is alleen jammer dat de maatschappij de feiten des levens hardnekkig met haar gewoonlijke hypocrisie blijft bekijken en ze weigert te aanvaarden zoals ze zijn...'

'Misschien heb je gelijk, Antonio... of misschien ook niet. Mijn ouders hebben altijd voor elkaar geleefd en voor hen is trouw juist een van de pilaren waarop het succes van het huwelijk steunt.'

'Ik zeg niet dat bepaalde personen niet intens gelukkig kunnen zijn in een monogame samenlevingsvorm, en het specifieke geval van je ouders, die ik goed ken, is zo'n typisch voorbeeld waarvan ik met volledige zekerheid kan bevestigen dat het een oprechte monogamie van binnenuit is, zonder uitglijers of geheime verlangens. Maar die paren zijn zeldzaam. En je ouders leven sinds ze verkering kregen, en later ook, uitsluitend voor elkaar, voor de familie, voor hun kinderen en kleinkinderen. Je ziet ze niet op reis gaan of contacten onderhouden met een bepaald soort mensen, of wel?'

'Nee, ze leven inderdaad tamelijk geïsoleerd, maar dat is niet wat ze zo monogaam maakt. Bij ons thuis zijn we allemaal opgevoed met min of meer vaste ideeën, zoals de noodzaak van evenwicht, stabiliteit...'

'Stabiliteit mag dan tot de menselijke aspiraties horen, maar afwisseling net zo; de aantrekkingskracht van het nieuwe en verbodene is absoluut onontkoombaar in de menselijke natuur. Stel je de volgende situatie eens voor: je zou je vriend Francisco, over wie je zo verveeld zat te praten, vandaag ontmoeten; denk je dat je hem dan zo zou zien als je nu doet? Natuurlijk niet! Het is het dagelijks samenleven, zijn voortdurende nabijheid, waardoor je in hem gebreken hebt ontdekt die in de loop der tijd in jouw ogen haast niet te harden zijn geworden. En toch twijfel je nog, aangezien hij degene was die jou heeft verlaten; aan de ene kant koester je een zekere minachting voor zijn tekortkomingen, die je zo hartgrondig belachelijk hebt gemaakt, maar aan de andere kant mis je die knusse huiselijkheid die tussen jullie begon te groeien. En misschien heb je juist daarom besloten de brief van Ricardo mee te nemen. Of wou je soms beweren dat het niet in je was opgekomen dat hij hem zou kunnen vinden?...'

'Misschien wel. Waarschijnlijk heb ik het onbewust gedaan, maar het is ook waar dat ik genoeg begon te krijgen van het slop waarin onze relatie was geraakt...'

'En kun je nuchter beredeneren waarom jullie in dat slop waren geraakt?'

'Ik weet niet, misschien was ik teleurgesteld in Francisco. Ik dacht dat hij een interessanter persoon was, maar door het samenleven werd hij saai, haast banaal...'

'Ofwel: hij is een volkomen normale persoon, gelijk aan zoveel andere, en jij bent degene die geen vrede kan hebben met het alledaagse. Kijk nu eens naar je relatie met Ricardo. Zolang ze duurde, was ze problematisch. Toen er een einde aan kwam, veranderde ze in een mooie fantasie die na een tijdje een gouden randje kreeg en nu een mythe is. Je praat over die man alsof hij het geheim van jouw geluk in zich draagt. En toch heb ik je maar zelden zo somber gezien als toen je met hem was. Hij was jaloers, stug, bezitterig, hij verstikte je de hele tijd. Hij slaagde er bijna in je zozeer naar zijn smaak om te vormen dat je niet meer jezelf was. Dus je ziet, jij bent degene die jouw houding ten opzichte van het leven en de anderen moet herzien, niet Francisco. Francisco heeft gedaan wat hij dacht dat hij moest doen: hij voelde zich verraden en heeft afstand genomen.'

'Maar hoezo verraden, ik heb toch niets gedaan?'

'Was dat maar zo. Het verzwijgen van de brief waaruit bleek dat er een relatie was tussen jou en een andere man was beslist een grotere klap voor hem dan wanneer je bij je ontmoeting met Ricardo een zwak moment had gehad en jullie met elkaar naar bed waren geweest.'

'Dat betwijfel ik...'

'Onderschat nooit het menselijk vermogen om een oprechte bekentenis te accepteren. Wat hem het diepst heeft gekrenkt was je zwijgen, het feit dat je zoiets belangrijks en veelbetekenends als die brief voor hem verborgen hield. Een kort avontuurtje betekent alleen iets op het moment zelf. Je vergeet ze, ze worden uit je geheugen gewist, vroeg of laat verdwijnen ze in de prullenbak van de geest. Een brief is een reëel, fysiek bewijs dat jij wilde bewaren omdat het belangrijk voor je was. En er mogen dan wel excuses zijn voor fysieke uitglijders – want zoals de volkswijsheid luidt: de geest is gewillig, maar het vlees is zwak – voor geschreven verklaringen gaat dat niet op. Die spreken luider, het zijn duurzame, blijvende getuigenissen. Je had beter met Ricardo naar bed kunnen gaan. Zo had je de mythe verbroken, en Francisco had er niets van hoeven te weten.'

'Sorry hoor, Antonio, maar je spreekt jezelf tegen. Je zegt dat het de leugen is die kwetst, maar vervolgens raad je me aan om voor mijn vriend te verzwijgen dat ik hem de horens op heb gezet?'

'Dat zeg ik niet. Laten we het praktisch houden: had je wel, of had je geen zin om weer met Ricardo naar bed te gaan toen je hem opnieuw zag?'

'Daar heb ik niet eens aan gedacht, we hebben een halfuurtje midden in een menigte mensen gezeten.'

'Goed. Stel je nu eens voor dat Ricardo, in plaats van na een halfuur weg te gaan, een nachtje in Lissabon was gebleven en je had uitgenodigd om met hem te gaan eten. Had je dan wel of geen zin gehad om met hem naar bed te gaan?'

'Wel, uiteraard.'

'Dan geef je me gelijk. Als je het niet hebt gedáán, was dat alleen maar om een moreel principe te respecteren dat je van zo'n daad afhield. En dat morele principe zou alleen maar bijdragen aan de verdere mythevorming rond het object van je verlangen. Of wou je ontkennen dat je, nadat je Ricardo had gezien, het gevoel had dat Francisco je toch niet zo aantrok en dat hij eigenlijk helemaal niet belangrijk was in vergelijking met de passie die je voor Ricardo voelt?'

'Tja, min of meer... een beetje, ja...'

'Zie je nu wel? Het verlangen neemt de meest subtiele vormen aan, al noemt de maatschappij het graag basaal, wild en instinctief. Bovendien werkt het verlangen bij vrouwen heel anders dan bij mannen. Een vrouw verlangt alleen naar hetgene waarvan ze houdt; een man houdt van hetgene waarnaar hij verlangt en zoláng hij ernaar verlangt. Daarom gaan vrouwen gewoonlijk alleen met iemand naar bed als ze verliefd zijn en dat kan best op een andere man zijn dan degene met wie ze naar bed gaan. Maar ze moeten een hartstocht voelen die hun lust opwekt. Bij mannen zit het anders. Geen enkele man staat onverschillig tegenover een mooie of sensuele vrouw, vooral als ze zich ontvankelijk, zij het tijdelijk onbereikbaar toont. Vaak is dat de o, zo simpele en doorzichtige troef waarmee een man zich laat verleiden door een vrouw.'

'Maar in het algemeen is de rol van de verleider toch voor de man...'

'Niets is minder waar, lieve schat. De ware verleiders zijn niet degenen die een actieve rol spelen in de verovering, maar degenen die zich laten meevoeren, die zich beschikbaar stellen. Of herinner je je niet meer hoe het ging met Ricardo? Herinner je je nog dat jij degene was die achter hem aan ging?'

'Ricardo is geen verleider.'

'Als hij dat niet was, zou je niet meer verliefd op hem zijn. De brief is alleen bedoeld om een ingeslapen passie wakker te maken die daar is blijven zitten, diep weggeborgen, en waarom? Hoewel jullie slecht met elkaar overweg konden en dat je ongelukkig maakte, maakte het je ook strijdlustig. En zo heb je je eraan gewend te leven voor de strijd en uit je angst een motivatie te halen om gelukkig te zijn in je eigen ongeluk. Daardoor komt het dat je na zijn vertrek verdoofd achterbleef, overwinterend in je eigen leegte, zonder te weten wat te denken of hoe je te voelen. Je moest omschakelen en je wist niet waarnaar. Francisco bezorgde je die omschakeling, die je tijdelijk hebt geaccepteerd, maar daarna kon je het niet laten terug te keren naar je ware aard.'

'En hoe definieer je die aard?'

'Jij behoort tot het type vrouwen die de liefde alleen ten volle beleven op afstand of wanneer die onmogelijk is. Je bent wat ik noem een Onmogelijke Vrouw; je houdt met al je kracht van mannen die je om de een of andere reden niet kunt krijgen. Voor jou is liefde juist de strijd óm de liefde, en niet een constructie of bouwwerk. Daarom trouw je niet, creëer je geen basis om een gezin te krijgen en een voorbeeldig echtgenote te worden. Maar je hebt gelijk: dat is precies jouw element. En je bent in elk geval wel zo eerlijk om je niet te verschuilen achter een sociaal aanvaardbare situatie en je in een verstandshuwelijk te storten.'

'Het nare is wel dat ik zo nooit een gezin krijg, of kinderen.'

'Natuurlijk krijg je die wel, net als iedereen. Een dezer dagen kom je iemand tegen met wie je het goed kunt vinden en ga je trouwen, wetend dat het misschien niet voor het hele leven is, maar toch gelukkig, en dan word je een voorbeeldige moeder die trots is op haar kroost, zoals bijna alle vrouwen uiteindelijk worden.'

Het gestoofde lamsvlees is afgekoeld op mijn bord terwijl ik naar hem luisterde, aandachtig en afwezig op hetzelfde moment. En Antonio sprak over zijn twee huwelijken, het eerste dat misliep omdat ze allebei te jong en onvolwassen waren en het tweede dat op een dag vanzelf een natuurlijke dood stierf, toen er tussen hem en zijn tweede vrouw geen verbondenheid meer was.

'Bij mijn eerste huwelijk wist ik van toeten noch blazen. Zie je, in mijn tijd moest een man naar de hoeren om voor het huwelijk seksuele ervaring op te doen, en ik herinner me nog dat ik op sleeptouw werd genomen door de vriendengroep van mijn broer Balthasar, die vijf jaar ouder is dan ik. Ze namen me mee naar een enorm, donker huis, zo een waar de ramen nooit opengaan, in de buurt van Campo Santana, waar ze me in een kamer stopten met een weldoorvoede vrouw van in de dertig die me een beetje medelijdend en verveeld bekeek. Ik ben altijd lelijk geweest en op mijn achttiende was ik een onbenullige slungel zonder enige charme en ze wist niet zo goed wat ze met me aan moest. We zaten twee uur lang te kletsen en dona Graciete, de bazin van de zaak, moest op de deur komen kloppen om te zeggen dat de tijd om was eer ik de kamer uit kwam, die naar wierook geurde en waar kitscherige schilderijtjes van de markt hingen. Idalina, die me niet ont- maagdde, maar naar me luisterde en me over vrouwen vertel- de, werd mijn vriendin voor het leven. Ik ging haar heel vaak opzoeken en betaalde haar alsof we met elkaar naar bed gin- gen. Later raakten we zo dik bevriend dat we op andere plaat- sen afspraken. Ik heb haar zelfs mee uit lunchen genomen in A Brasileira, en ze baarde groot opzien. Veel van wat ik nu weet over vrouwen, heeft zij me bijgebracht. Van haar heb ik geleerd om naar ieder woord te luisteren, elk gebaar op te merken en de meest subtiele gedragingen te interpreteren. Ze heeft me geleerd hoe de ogen, handen en benen van een vrouw spreken als ze beweegt. Waar haar verlangen zit, waar haar angst of afkeer zich verbergen. Dat was de basis van mijn eindeloze interesse en mijn onuitputtelijk vermogen om te houden van dat wonderlijke en duivelse wezen, de vrouw. Toen ik trouwde, wilde ik alles toepassen wat ik in theorie van Idalina had geleerd – ik had haar nooit aangeraakt, stel je voor! Ik probeerde het in de praktijk te brengen met Raquel, maar werd verkeerd begrepen. Raquel was opgevoed op een nonnenschool, ze was een twintigjarig kind dat nergens een flauw idee van had. Ze vond mannen laagstaande wezens met een slechte inborst, die zich van vrouwen bedienden voor hun eigen gerief. Mijn gevoeligheid raakte haar, maar schrikte haar tegelijkertijd af. En omdat zij, de arme ziel, ook nooit erg intelligent was geweest, kon ze niet begrijpen dat het feit dat ik anders was en op een ongewone manier met haar omging, alleen maar voordelig voor haar kon zijn.'

'Wacht eens even, niet afdwalen, maak het verhaal van Idalina eens af. Beweer je nu dat je nooit naar de hoeren bent geweest?'

'Nee, nooit! Met Idalina raakte ik hecht bevriend, evenals met verschillende vriendinnen van haar. Idalina trouwde ten slotte met een welgestelde weduwnaar die enige tijd later stierf en met wie ze twee kinderen kreeg. Slim als ze was, begreep ze dat ze nooit meer terug kon en ze gebruikte het geld dat haar man haar naliet om gedaan te krijgen dat de kinderen op een goede school kwamen. Ze richtte het huis waar ze met de twee jongens woonde, opnieuw in, een ruime, zonnige etagewoning in een van de straten die uitkomen op de Avenida da Liberdade, en begon avondjes te organiseren voor de intellectuele kringen van die tijd. Ze was als een maecenas voor jonge kunstenaars met wie ze tegelijkertijd zeker haar avontuurtjes zal hebben gehad, maar dat wist ze allemaal heel discreet en verstandig aan te pakken, en met het verstrijken der jaren werd ze een respectabele weduwe. Het was op een van die avondjes dat ik mijn eerste grote liefde leerde kennen, een Franse actrice die een seizoen lang in Lissabon was met een toneelstuk in het Dona Maria-theater, Martine.'

'Was je al getrouwd?'

'Uiteraard, ik trouwde op mijn eenentwintigste. Ik leerde Martine kennen toen ik zesentwintig was en tot dan toe had ik alleen gemeenschap gehad met Raquel. Maar vrijen met haar was me nooit gelukt, je weet wel hoe verschillend die twee dingen zijn. Martine was mager en hoekig zoals jij en straalde een eigen licht uit, haast engelachtig. Ze was een vluchtig, afstandelijk wezen dat van het ene op het andere moment kon veranderen in een vurige, gepassioneerde vrouw. De eerste keer dat we de liefde bedreven was in het kantoor van de oude weduwnaar in het huis van Idalina, op een chaise longue. Het was de eerste keer dat ik me een man voelde, kun je dat geloven, op mijn zesentwintigste! Jullie beginnen tegenwoordig op je vijftiende of zestiende en zijn voor je dertigste al door de wol geverfd. Wij niet, wij moesten alles nog leren als we al over de dertig waren, getrouwd, met kinderen en verantwoordelijkheden op onze nek!'

'Nou, geloof maar niet dat de gewoonten zo zijn veranderd; vandaag de dag gaan de mannen nog steeds naar de hoeren, precies zoals ze dat vijftig of honderd jaar geleden deden. Zo vreemd is dat!... Tegenwoordig heb je meer vrouwen die met een man naar bed willen dan die dat niet willen...'

'Dat is waar, maar het overvloedige aanbod kan een man ook de keel uit gaan hangen. Een hoer betaal je voor een verleende dienst, je oefent een zekere macht over haar uit en dat trekt mannen aan.'

'En je oefent zeker geen macht uit op een vrouw als je haar sieraden, auto's en dergelijke geeft?!'

'Natuurlijk, maar dat is allemaal wat tweeslachtiger. Ik zie kerels van mijn leeftijd, vooral wat jongere kerels van in de vijftig, die verliefd worden op meisjes van dertig en ze overladen met geschenken. Vaak is dat niet eens om ze te kopen, maar omdat ze stapelverliefd zijn. Natuurlijk is geld een machtsmiddel, mannen houden van die macht, maar in het merendeel van de gevallen dat ik zie is dat niet hun voornaamste motivatie. Terwijl een hoer een dienst verleent waarvoor je betaalt, zoals iemand in een restaurant de rekening betaalt.'

'Dat lijkt me gruwelijk.'

'Ja, voor jou, omdat het je vrouwelijke gevoeligheid kwetst, of voor mij, omdat ik nooit heb begrepen wat voor plezier je kunt putten uit een puur fysieke omgang zonder enige verstandhouding, waarbij de een beveelt en de ander orders opvolgt. Maar voor veel mannen is dat de enige manier om te genieten met een vrouw. Als dat niet zo was, zouden er geen hoeren meer zijn.'

'Maar nu even terug naar je avontuur met Martine...'

'Dat was heerlijk, want het was mijn ontdekking van de

liefde zoals die moet zijn: gek, onbewust, irrationeel, avontuurlijk, inconsequent en onvergetelijk.'

'Dat is geen liefde, dat is passie!'

'Is dat niet allemaal hetzelfde? Passie is het beste deel van de liefde, het deel dat je nooit meer vergeet! Passie is de essentie van het leven. Alle grote daden worden verricht met passie en uit passie, hetzij voor een doel, voor een ideaal of voor een persoon. Wat er tussen jou en Ricardo was, was passie, en...'

'Maar tussen mij en Francisco ook!!!'

'Wacht even, laat me uitpraten. Ik heb jouw geschiedenis met Ricardo vanaf het begin meegemaakt. Herinner je je dat etentje bij mij thuis met Jorge Amado, toen jij hem meenam? Jullie leken wel één persoon, jullie gingen helemaal in elkaar op. Dat is passie. Francisco was en is van een andere orde. Je zult hem best leuk hebben gevonden en misschien was je ook wel verliefd op hem, zo'n goed uitziende, grappige, charmante jongen. Maar je hebt nooit je objectiviteit verloren, je praatte altijd over hem met iets kils, of op z'n minst iets nuchters. En nu hij het heeft uitgemaakt ben je gekwetst, maar het is alleen maar je trots omdat je bent verlaten en niet de pijn van een mislukte passie die je kwelt. Francisco was een afleiding, een *fait-divers* zoals Manuel het zou kunnen zijn geweest, of Luís... of zelfs ik!...'

De grappende toon waarop hij de laatste woorden uitspreekt is heerlijk, hartveroverend. Ik aai hem over zijn uitgedunde witte haar en als Antonio de rekening heeft betaald verlaten we het restaurant, maar niet voordat hij eerst cijfertje na cijfertje de hele som heeft nagerekend met zijn leesbril op het puntje van zijn neus. Ik geef hem een arm en we slenteren door de smalle hobbelstraatjes de helling van het kasteel af naar de Baixa, al keuvelend over onze levens. We lopen langzaam, arm in arm, en gaan de trappen van São Francisco op; vervolgens passeren we Camões, terwijl Antonio het relaas voltooit van zijn passie voor Martine, die werd gevolgd door zoveel andere vrouwen, en als ik hem naar zijn tweede vrouw vraag, zijn we al bij mijn voordeur. Ik vraag hem nog om boven te komen voor een kopje melissethee, maar Antonio neemt afscheid met een tedere kus en de opmerking dat hij, hoewel hij geen slaap heeft, 'want oude mensen hebben geen slaap meer,' morgen naar het noorden des lands moet en uitgerust op reis wil gaan.

'Jij zou je maar aan me vergrijpen, we zouden deze platonische passie consumeren en vervolgens zou je korte metten met me maken, en wie zou er dan naar Fundação de Serralves gaan om de expositie te openen?'

Ik bestijg de trap, ga zwijgend naar binnen en zet mijn onontbeerlijke melissethee. Onderhand maak ik zorgvuldig mijn gezicht schoon met reinigingsmelk, dan met tonic en ten slotte smeer ik er nachtcrème op, zonder de speciale crème voor rond de ogen te vergeten. Dat alles doe ik volautomatisch, met verstand en eigenliefde, heimelijk wensend dat de tijd niet al te diepe sporen nalaat op mijn ziel en lichaam en me tot in de eeuwigheid hetzelfde meisjesachtige uiterlijk laat behouden. Maar ik weet dat dat niet alleen van mij afhangt. De tijd, die grote leermeester, die ons geeft wat we nodig hebben is er ook nog, zelfs als we denken dat dat niet zo is, zelfs als we andere dingen willen...

III

Aan het eind van de zomer gaat het redactieteam op in een koortsachtige opgewondenheid die duizelingwekkende vormen aanneemt tegen 4 oktober, de gedenkwaardige datum waarop het blad werd opgericht, die jaar na jaar wordt gevierd met een party. En sinds drie jaar mag ik de bittere pil slikken van de organisatie van dit grootse feest. Aanvang september stormt Paulo iedere dag in rep en roer het kantoor binnen, verdeeld tussen zijn droomplannen voor het feest en die voor het verjaardagsnummer. De meisjes van de advertentieafdeling gooien de beuk erin en halen naar aanleiding van de uitgave van dat verjaardagsnummer een gemiddelde van tweehonderdnegenenveertig telefoontjes per dag, kien op het verkopen van zo veel mogelijk pagina's en het opstrijken van de bijbehorende commissie. Telkens wanneer er een dubbele pagina is verkocht loopt Paulo handenwrijvend door de gangen terwijl hij met een schelmachtige grijns zegt: 'Weer een onderzeeër naar de bodem gejaagd!' Ik ken maar weinig mensen die zo van hun kleine successen genieten als Paulo. Dit jaar heeft hij twee Spaanse schonen uitgenodigd, dames die er hun beroep van maken om interviews te verkopen aan de boulevardpers van onze oosterburen, en hij heeft een Slavische trapezewerkster gecontracteerd die bungelend aan het dak onvoorstelbare toeren komt uithalen. Weer zal ik het adressenbestand moeten bijwerken, weer zal ik half Lissabon uitnodigen, weer zal het een succes worden en weer zal ik het hele gedoe moeten verduren. Het hoort nu eenmaal bij m'n beroep.

Sinds we terug zijn uit Kaapverdië heeft Francisco niets meer van zich laten horen. Ik heb hem nog een keer gebeld, maar zijn antwoordapparaat stond aan en ik heb maar geen bericht ingesproken. Ik stond op het punt om hem het mobieltje terug te geven, maar aangezien er nog voor twee maanden beltegoed op zit, wacht ik tot ik hem weer te spreken krijg om de simkaart op te vragen, die hij me steeds maar niet wilde geven. Aangezien ik alleen ben en de hele tijd van hot naar haar ren, komt hij best van pas. De dagen gaan langzaam voorbij, het is alsof het eind van de middag nooit komt, en vaak besluit ik de dag in m'n eentje, met een bioscoopje om zeven uur of een vlug etentje bij iemand thuis. Als ik niets heb afgesproken, huur ik een film in Videoclub Estrela do Alto, een smerig hol met een stuk of wat versleten kopieën van oude films waar ik de avonden wel mee om krijg, of ik herlees Alexandre O'Neill en Eça de Queiroz, gewikkeld in mijn reisplaid die ik op een langeafstandsvlucht heb meegejat.

Het was op een van die huiselijke avondjes, die ik ook vaak gebruik om papieren op te ruimen, dat ik in een met ruitjespapier gevoerde schoenendoos de overblijfselen aantrof van een van mijn grootste jeugdliefdes. Ik was net achttien geworden en mij wachtte een letterenfaculteit toen ik bij Mariana thuis Guilherme Souto ontmoette, die me voorkwam als een perfecte kopie van Vincent Perez, de aanbidder van Roxanne in de Hollywoodversie van Cyrano de Bergerac. Uiteraard bevatte de driehoek van destijds – hoe kan het anders – ook een Cyrano, maar een echte van vlees en bloed: Pedro Pedroso, toen een veelbelovend schrijver die waanzinnig verliefd op me was en sinds lange tijd bevriend was met Mariana. Op een zomeravond waarop hij me had uitgenodigd om ergens te gaan eten, beging Pedro de vergissing om bij Mariana langs te gaan. Daar zou hij een schoolvriend ontmoeten die zojuist was teruggekomen uit Parijs, waar hij internationale betrekkingen had gestudeerd. De Parijse vriend was Guilherme, en hij zou mijn grote passie van het eind van mijn puberteit worden. Nadat ik verliefd was geworden op Guilherme, werd Pedro definitief mijn Cyrano. Hij werd een van mijn beste vrienden, vooral nadat Guilherme werd afgeleid door een bleke, houterige danseres van het conservatorium die hem een, twee, drie het hoofd op hol bracht. We hadden toen een semi-serieuze relatie, met ouderlijke toestemming en al. Ik weet nog dat ik voortdurend rondliep met een knoop in mijn maag, dat ik slecht sliep en steeds wakker schrok, dat ik de minuten telde tot ik hem weer zag en naar hem verlangde met al mijn poriën. Ik herinner me zijn sombere, kalme stem, zijn blik, zacht als die van een kind en zijn smalle, vrouwelijke handen waar iedere vrouw op viel. Guilherme liet zich door mij meeslepen en ik door hem, met de gezonde argeloosheid en niet te evenaren puurheid van een eerste liefde, en maandenlang leefde ik in een constante, overweldigende idylle die me met mijn hoofd in de wolken bracht en die mijn ziel dagelijks naar de hemel voerde als mijn blik alleen maar de zijne kruiste. Hij was niet de eerste man met wie ik naar bed ging, maar zoals bij Martine en Antonio was hij de eerste met wie ik de liefde bedreef. We brachten nachten en nachten wakend door, meegesleept door een immense, zoete passie waarvan ik, dat weet ik, de smaak nooit meer zal proeven. Van Guilherme kreeg ik m'n eerste liefdesbrieven. Meer dan tien jaar lang lagen ze in diepe vergetelheid in de schoenendoos. Toen ik ze herlas, had ik mijns ondanks opnieuw een bonkend hart en een draaierig gevoel in mijn maag, de vaste metgezellen van de verliefdheid. Er viel een foto van hem tussenuit en ik vroeg me af hoe hij er nu, twaalf jaar later, uit zou zien. In die tijd had hij al weinig haar, maar hij was nog lang niet kaal. Zijn enorme donkerbruine ogen, zijn fijn getekende mond, gebruinde huid en smalle neus. Alles was bewaard gebleven door de magie van de fotografie, mooi en statisch, bijna als een beeldhouwwerk. De eerste incarnatie van de Betoverde

Prins, die in een kikker veranderde toen hij op een avond in handen van die danseres viel, wier naam Graça was als ik me niet vergis. Of Paula? Hoe dan ook, die geschiedenis was voldoende om mijn god regelrecht van zijn voetstuk te stoten en languit op de grond te laten vallen in mijn trots. Hoewel hij me zelf zijn slippertje had opgebiecht, huilde en protesteerde ik, schold ik hem de huid vol en schrapte hem in typisch puberale drift uit mijn leven. Met mijn achttien jaar had ik nog niet de leeftijd om de ware betekenis van een geval van ontrouw in te schatten. Op oudere leeftijd was ik waarschijnlijk toegeeflijker geweest, want ik heb altijd geweten dat het danseresje van geen belang was in het leven van mijn berouwvolle aanbidder. Maar mijn trots was sterker, misschien te sterk, zoals te doen gebruikelijk in de late puberteit.

Jaren later hoorde ik via Pedro Pedroso dat Guilherme was getrouwd en een dochter had gekregen. Ik stond er niet meer bij stil. Of het nu uit zelfverdediging was of omdat ik hem was vergeten, Guilherme verdween definitief uit mijn leven en hij kwam niet meer terug. Maar nu ik een diepe duik in het verleden heb genomen, kan ik het niet laten me voor te stellen hoe mijn leven zou zijn verlopen als Guilherme erin was gebleven. Zou ik dan nu getrouwd zijn, met twee beeldige kinderen in een etagewoning in Laranjeiras wonen en de huishoudelijke hulp iedere dag opdracht geven om een verrukkelijk diner te bereiden voor mijn carrièrediplomaat? Nee, onmogelijk. Ik was te jong, ik wilde reizen, plezier maken, met andere mannen vrijen, andere avontuurtjes hebben, me in mijn eentje ontwikkelen, mijn eigen leven leiden, mijn eigen huis hebben – in één woord: onafhankelijk zijn. Alleen wil ik nu, nadat ik dat alles voor elkaar heb gekregen, meer, andere dingen: stabiliteit, kinderen, een gezinswoning, het hele perfecte plaatje dat ik in mijn fantasie al heb uitgetekend en waar ik deel van wil uitmaken, zonder dat ik iemand heb met wie ik dat kan doen.

Ik merk nu dat ik nooit naar mannen heb gekeken als al dan niet goede huisvaders. De passie was altijd sterker dan verstand, gemak of geld. Guilherme, bijvoorbeeld, is beslist een liefhebbende echtgenoot en een voorbeeldige vader geworden. Ondanks dat verhaal met Graça/Paula is het nooit zijn gewoonte geweest om zijn vriendinnen te bedriegen, integendeel, hij verloor er twee aan zijn vrienden. Hij was een tedere, zachtaardige, attente en welgemanierde man, rustig en gevoelig, die graag thuis zat met een boek van Ruben A. en muziek van Billie Holiday. Door hem heb ik het plezier van de stilte en de teruggetrokkenheid leren kennen, misschien te vroeg voor mijn onstuimig hoofd en springerig lichaam.

Ik berg de brieven op met verkleumde handen en een hart dat ietwat van slag is. Morgen zal ik Pedro Pedroso eens bellen en naar Guilherme vragen.

Halverwege de week begin ik steevast het weekend te plannen. Nu ik weer met een oneven aantal ben, zoek ik instinctief andere solitairen op die net als ik willen dat de wekelijkse rustdagen meer inhouden dan achtenveertig uur non-stop verveling en stilte. Ik zou die zogenaamde 'dode tijd' moeten benutten om huis en hoofd op te ruimen, maar ik heb zin in het een noch het ander. Mijn kasten en laden zijn altijd de meest getrouwe barometer van mijn geestelijke toestand geweest: soms geven ze een enorme ijver en discipline aan, die altijd correspondeert met voorbijgaande fasen tussen lange periodes van chaos en verwarring in. Virginia maakt elke maand deze afgesloten ruimten aan kant waar een ware anarchie van rommel en troep heerst, met hetzelfde geduld waarmee ze de speelkamer in het huis van mijn ouders opruimde toen we nog klein waren. Ze weet wel dat de wanorde altijd sterker zal zijn dan zij, maar toch blijft ze stoïcijns doorvechten tegen mijn warrige, rommelige natuur en blijft ze er hardnekkig voor zorgen dat elke kleerkast en iedere lade zó op de foto zou kunnen voor een advertentie van een woontijdschrift. Waarschijnlijk heeft ze alle brieven gelezen die ik nonchalant in schoenendozen stop, samen met de foto's uit de betreffende tijd en wat nutteloze, aanstellerige souvenirs zoals bioscoopkaartjes, kartonnen bierviltjes uit cafés, gedroogde rozen en andere fossielen van mijn bestaan. Maar ik betaal de prijs van het verlies van mijn privacy aan iemand die me op schoot heeft gehad, om alles netjes opgeruimd te hebben. Zonder haar zou mijn leven een hel zijn.

'Je hebt weer in je verleden zitten wroeten,' zei ze gisterochtend zodra ze binnenkwam en de doos met de Guilhermaanse resten op de bank zag liggen. 'Wil je dat ik het opruim of moet ik het zo laten liggen?'

Heel bijzonder, deze vrouw. Ze is helderziend, of anders heeft ze door haar leeftijd de wijsheid gekregen van een jarenlang getrainde intuïtie. Ik laat de schoenendoos met het ruitjespapier stil en samenzweerderig liggen op het bijzettafeltje bij de bank en ga naar de redactie. De voorbereidingsdrukte voor het feest neemt toe in intensiteit: de drie ruimten van het kantoor liggen nu overal vol foto's, drukproeven, faxen en memoblaadjes. Iedereen laat zijn werk liggen en doet wat hij kan om op D-day klaar te zijn. Het is zo'n heksenketel dat ik ongemerkt zelf telefoontjes ga aannemen, terwijl Odete de meisjes van de advertentieafdeling een handje helpt. Die gaan deze maand hun inkomen aan commissie verdubbelen, zoveel hebben ze binnengehaald. Zoals gewoonlijk heeft Odete de vakantie doorgebracht in haar ouders' caravan op de camping van Caparica en ze heeft een benijdenswaardig kleurtje. Na haar mislukte poging om voor een avond het vruchtgebruik van mijn horloge te verkrijgen, heb ik geen geduld meer met dat stomme gedoe van haar. Ik begin haar vals en huichelachtig te vinden, terwijl ik haar altijd zag als een simpel, leuk persoontje, ondanks die sieradenwinkel van echt- en nepgoud die om haar polsen en aan haar oren bungelt. Het gevoel van antipathie is nu vast wederzijds, want ze spreekt me alleen nog aan als het echt moet en is opgehouden me voor de zekerheid vragen te stellen over wie wie is, wie de eigenaar is van deze bank of directeur van gene onderneming. Misschien voelt ze zich al zo opgenomen in het wereldje dat ze niets meer hoeft te weten. Ze spreekt iedereen nu aan met jij en jou en heeft zich allures aangemeten van een meisje uit betere kringen; ze rookt met haar ellebogen op het bureau, heeft de mouwen van haar blouse opgestroopt en is van kapsel veranderd. Ik sta een beetje te kijken van deze toch wat plotselinge renovatie. Elisa van de drukkerij, aan wie niets ontgaat, komt discreet mijn kantoor in om de gereviseerde drukproeven af te halen en vraagt wat er aan de hand is met de vamp, zoals ze haar graag mag noemen. Elisa, helemaal zichzelf, slordig en hippieachtig, druk met haar katten en de eeuwige lekkages op haar zolderetage, vindt Odetes metamorfose maar niets.

'Wat ziet dat kind er vreemd uit, het lijkt wel een ander mens,' zegt ze met een ernstig gezicht.

'Misschien wil ze ook wel een ander mens zijn,' antwoord ik afwezig terwijl ik een vlugge blik op het laatste katern werp voor ik het teruggeef.

'Deze nieuwe generatie wil altijd maar zo modieus zijn, en kijk eens naar het resultaat, ze zien er allemaal hetzelfde uit, als een lading broodjes uit de oven: dezelfde kleding, dezelfde kettinkjes, dezelfde schoenen. Godver, in mijn tijd waren we freaks, maar we waren tenminste wel origineel.'

Elisa maakt deel uit van de uitstervende soort die vóór 25 april werd verhoord door de gevreesde geheime dienst, ná de revolutie aanhanger werd van de democratische en communistische partijen, en zich nu partijloos verklaart omdat de partijen niet meer worden geregeerd door ideologieën, maar door lobby's en economische belangen.

We nemen de gelegenheid waar om even iets te gaan eten in

een koffiebar. Op de stoep staat nog zo'n ten dode opgeschreven diersoort, haar als een collector's item zo teerbeminde bordeauxrode Morris-minicooper.

'Je zou lid moeten worden van de club van eigenaren van antieke auto's. Je mini begint een relikwie te worden.'

'Er zijn vrouwen die altijd van dezelfde man blijven houden; ik blijf van dezelfde auto houden. Ik heb hem in '73 gekocht met het geld dat ik in Rusland had verdiend.'

'Hela, je hebt me nooit verteld dat je een bezoekje aan Rusland had gebracht...'

'Heb ik ook niet; ik heb er drie jaar gewoond. Ik werkte in Parijs als correspondente bij *France Press*, waar ik was terechtgekomen met een studiebeurs. Ze vroegen me om naar de toenmalige Sovjet-Unie te gaan; ik vond het wel geinig en ging. Ik wilde weleens weten of de communisten echt kindertjes aten voor hun ontbijt,' besluit ze kalm alvorens een enorme hap van haar croissant met ham te nemen. 'Ik ben zelfs met een Rus getrouwd en al. Heb ik je dat nooit verteld?'

'Nee, maar dat ga je nu doen. Ik ben één en al oor.'

'Hij was een sociologiestudent met een vogelkopje, genaamd Yuri. Door met mij te trouwen kreeg hij een verblijfsvergunning voor buiten de Sovjet-Unie.'

'Maar ben je alleen daarom getrouwd?'

'Natuurlijk niet. Ik ben getrouwd omdat ik verliefd was en hij dolgraag daar weg wilde... We zijn nog steeds getrouwd. Hij woont in Parijs en af en toe komt hij een paar dagen hierheen. Hij heeft bij mij thuis zijn eigen kamer met de boeken, platen en andere troep die hij uit Moskou heeft meegebracht.'

'Even recapituleren: je bent officieel getrouwd met een Rus die in Parijs woont en als hij naar Lissabon komt een kamer in jouw huis heeft???'

'Precies. Nooit horen zeggen dat elk echtpaar zijn eigen modus vivendi heeft? Dit is de onze.'

'En voel je je een getrouwde vrouw?'

'Is je nooit opgevallen dat ik een ring draag?'

Dat was me inderdaad nooit opgevallen. Met een samen-zweerderig lachje neemt Elisa afscheid en ze besluit: 'Je moet eens bij me komen eten. Ik vertel je het hele verhaal nog wel eens, zodat je niet zo als een vis op het droge naar lucht hoeft te happen.' Ze wurmt zich in haar mini en verdwijnt om de hoek na een Formule-1-manoeuvre die het verkeer aldaar praktisch op zijn kop zet.

Ik ga terug naar de basis en stort me op de mailing, die me helemaal in beslag neemt tot mijn maag zich opnieuw laat horen. Het is halftien en ik keer uitgeput huiswaarts, dro-mend van een restje uiensoep en wat gebakken eieren met to-maat, klaar in minder dan vier minuten en verkwikkend voor lichaam en ziel. Op dit soort dagen van intensief werken, waarin ik van huis naar kantoor en van kantoor naar huis ga, voel ik me het leegst: mechanisch, met de knop op moeten en doen, zonder tijd om te denken en voelen. Dat zijn grauwe, monotone perioden, waarin de dagen elkaar opvreten en de nachten alleen dienen voor het minimale bijtanken om de volgende dag aan te kunnen, in een helse, onstuitbare opeen-volging van uren, minuten en seconden...

Voor ik inslaap kijk nog een paar nachtkastjesboeken in die ooit belangrijk voor me waren: *De alchemist* van Paulo Coel-ho, *Verliefdheid en liefde* van Alberoni en *Uiterlijke tekenen* van Paulo Castilho, maar ik tref niets nieuws meer aan. Ik ben al in de ban geraakt van zoveel dromen en idealen dat ik me niet in staat voel ze af te zweren, maar ik begin te begrijpen dat ze mijn leven niet op een vast of constructief spoor zetten. Ik droom van Elisa, die gekleed als een matroesjka haar bende aangelijnde katten uitlaat op het Rode Plein, en anachro-nistisch genoeg herinnert mijn onbewuste zich, in hartje Moskou, dat ik ben vergeten Pedro Pedroso te bellen. Nou ja. Morgen is er weer een dag.

Nog helemaal slaperig word ik wakker voor een nieuwe werkdag. Het is donderdag en deze ochtend ga ik de zoon van een tamelijk bekende bankier interviewen die per se het imago wil verkopen van jonge, onafhankelijke manager die op persoonlijke verdienste de top heeft bereikt, alsof zijn achternaam van geen enkel belang is geweest. Ik ken hem alleen van foto's: hij heeft een wat al te brede glimlach naar mijn smaak, en een wat loensend rechteroog. Maar hij zal wel slim zijn, want je ziet hem niet zo vaak; dat betekent dat hij vast andere interesses heeft. Hij zal wel golfen, driemaal per jaar gaan skiën in Gstaad of Courchevel en twee weken in augustus doorbrengen in het chique deel van de Algarve, zoals te doen gebruikelijk. Ik zie hem al voor me, Hermès-dasje, Façonnable-hemd, helemaal ónder de merkjes en etiketjes. Ik moet een goed interview maken voor het jubileumnummer, Paulo was daar heel duidelijk over. 'Let wel, dit is een bijzonder belangrijk contact,' drukte hij me op het hart voor ik de redactie verliet, waar ik was langsgegaan om Florindo op te pikken. Als ik Paulo vijfhonderd contos liet dokken telkens wanneer hij het woord 'contact' in de mond nam, was ik al in het bezit van een Porsche 911 cabriolet.

We komen stipt op tijd aan bij het kantoor van de bank en worden ontvangen in een gigantische vergaderzaal die volhangt met schilderijen die illustreren dat het maecenaat floreert binnen de Portugese kunsten. En daar komt de jonge manager binnen, één en al glimlachjes en krachtige handdrukken. Hij biedt ons koffie aan en we praten over ditjes en datjes terwijl Florindo wat plaatjes schiet. Ik vraag hem waar hij heeft gestudeerd, of hij een goede leerling was, waarom hij in een concern werkt dat concurreert met dat van zijn eigen vader, hoe zijn gezinsleven eruitziet, wat zijn toekomstplannen zijn en de hele trits gebruikelijke, volkomen triviale vragen die vaste prik zijn bij dit soort werk. De veelbelovende, dynamische jongeman beantwoordt alles zelfverzekerd en op zijn gemak. Hij raakt enthousiast wanneer hij een cijfermatige indruk geeft van de groei van twee bedrijven waaraan hij verbonden is geweest en waarin hij nog steeds aandelen bezit, zichtbaar trots op zijn financiële klappers. Ik zeg 'ja' op alles en maak mijn notities terwijl de taperecorder de rest van het werk doet. Omdat ik nog niet voldoende materiaal heb, gaan we over op zijn jeugd, altijd een onuitputtelijke en ongevaarlijke bron van informatie die de doorsnee lezer ontroert.

De dynamische manager merkt op dat zijn 'jeugdvrienden het belangrijkste in zijn leven' zijn geweest en een 'fundamentele rol hebben gespeeld' in de ontwikkeling van zijn persoonlijkheid. Zoals te verwachten viel, heeft hij op een jezuïetencollege gezeten 'waar kameraadschap en verantwoordelijkheidsgevoel fundamentele waarden waren' en heeft hij tot op heden dezelfde groep van vijf boezemvrienden die tegenwoordig allemaal 'topposities bekleden', wie weet, waarschijnlijk door hem geregeld in ruil voor andere, wat vagere gunsten. Ik kan de verleiding niet weerstaan te vragen wie het zijn – wie weet zit er tussen dat groepje wel de een of andere klinkende naam; die doen het altijd goed in dit soort interviews. 'Misschien ken je wel een van hen.' Ik schud mijn hoofd. Ik ken er geen, behalve de voorlaatste; ik kan mijn oren niet geloven als ik die naam hoor. Plotseling herinner ik me de beroemde zin uit een van mijn favoriete films, *Out of Africa*, waarin Meryl Streep tegen Robert Redford zegt: 'Als God ons wil straffen, verhoort hij onze gebeden.'

'Zei je Guilherme Souto? De Guilherme die internationale betrekkingen heeft gestudeerd in Parijs?'

'Dezelfde. Ken je hem?'

'Nou en of! We hadden verkering toen ik nog een meisje was en...'

Ik zwijg en voel het bloed naar mijn hoofd stijgen tot aan mijn haarwortels. Wat ben ik toch een achterlijke trut. Waarom houd ik mijn mond niet? Waarom moet ik me meteen blootgeven aan een vreemde? Wat ik zojuist heb gedaan is allesbehalve professioneel, en ik probeer het gesprek in andere banen te leiden.

'Sorry, daar heb jij niets mee te maken, en ik wilde trouwens net vragen of...'

'Wacht eens... hoe lang geleden ging je met hem? Ik herinner me namelijk niet dat hij me over jou heeft verteld,' houdt mijn gespreksgenoot aan, terwijl hij peinzend met zijn wijsvinger langs zijn kin strijkt.

'Het was van korte duur, niet zo belangrijk,' laat ik nog vallen in de hoop dat ik daarmee wegkom, maar mijn geïnterviewde schept er kennelijk plezier in de rol van interviewer over te nemen en hij bijt zich vast in het onderwerp.

'Wat vreemd! Maar hoe zei je dat je naam was? Madalena de Sousa e Sá? Ik weet het alweer! Dat was toen hij terugkwam uit Parijs, niet?'

'Precies,' antwoord ik laconiek en met een gesloten gezicht, zonder nog enige hoop me hieruit te kunnen redden.

'Maar dát is toevallig! Inderdaad, wij hebben elkaar nooit ontmoet, maar ik herinner me dat Guilherme me een foto van je heeft laten zien. Wat grappig! En hebben jullie elkaar nooit meer gesproken?'

Droplul. Eikel. Idioot. Hij heeft door dat ik in de knel zit en is vastbesloten er ten volle van te genieten.

'Nou, ik denk dat ik voldoende materiaal heb, hartelijk bedankt voor je medewerking, maar we zijn al laat en...'

'Wacht nou even! Dit is toch enig! Ga nog niet weg, laten we Guilherme bellen, dan kun je met hem praten, oké?'

Helemaal niet oké; maar ik heb al door dat ik er niet onderuit kom. Ten slotte bevind ik me op vijandelijk terrein, gekidnapt door mijn eigen indiscretie. Ik kan maar het beste meewerken. De beul pakt zijn mobiele telefoon die qua grootte – dat wil zeggen het ontbreken daarvan – in de buurt komt van een pakje sigaretten.

'Hé, Guilherme, alles goed? Wat een mazzel dat ik je op kantoor tref! Hoor eens, er zit hier iemand tegenover me die me heeft geïnterviewd en met wie jij graag zult willen praten. Nee, geen grapje; een seconde, dan geef ik je haar.'

Ik neem de telefoon aan zonder een greintje verlegenheid. Nu ik meedoe aan het spel, kan ik maar het beste een olympische houding aannemen. Guilherme herkent mijn stem niet en ik moet me identificeren. Aan de andere kant wordt de stilte gevolgd door een hogelijk verbaasd en ietwat verheugd *aaaah*. Na de gewoonlijke vragen laat hij vallen dat hij gescheiden is en nodigt hij me schuchter uit voor een gezamenlijke lunch. Ik geef hem mijn privé-nummer en het nummer van mijn werk en we spreken af voor overmorgen, vrijdagmiddag, in een restaurant bij de Nautische Club, waar we toevallig ook samen met Pedro Pedroso en Mariana hebben gegeten op de avond dat we elkaar leerden kennen.

Mijn geïnterviewde is definitief in de huid van Cupido gekropen en hij benut de gelegenheid om zijn laatste pijlen af te schieten.

'Zie je wel? Wat een grappig toeval! Het zal vast enig zijn om elkaar weer te ontmoeten, na al die jaren!'

Tja.

Mentaal helemaal ondersteboven keer ik terug naar de redactie. Ik ben niet goed wijs. Hoe haal ik het in mijn hoofd om, met Ricardo nog vers in het geheugen en Francisco op een laag pitje, met een ex te gaan lunchen?

Mariana belt aan het eind van de middag en nodigt me uit om bij haar thuis te komen eten. Als ik arriveer doet ze open, gewapend met een pollepel, en zegt: 'Bereid je voor op de lekkerste rijstepap van je leven.' Ik volg haar naar de keuken en dek de tafel terwijl zij met benijdenswaardige behendigheid de klonterige pap bestrooit, die ze van tevoren in kleine glazen kommetjes heeft geschept. Ik vertel haar over het interview met het rijkeluiszoontje en over het eigenaardige toeval dat hij een vriend van Guilherme was, maar ze lijkt niet geïnteresseerd en begint ergens anders over. Ze zit in zo'n sombere periode, dan wordt ze mat en uitgeblust, alsof ze geen energie of interesse meer heeft om te leven.

'Ik weet niet waar je het geduld vandaan haalt voor dat soort flauwekul,' valt ze me nogal bits in de rede. 'Je hebt niet meer de leeftijd om zandkastelen te bouwen. Een onmogelijke liefde achter de rug, een andere die je net om zeep hebt geholpen, en wou je nu een oud verhaal dat nooit van enig belang is geweest opnieuw tot leven wekken?'

'Hoe weet jij dat nou?'

'Weet ik veel, ik herinner me vaag die verliefdheid; het was in de zomer van vierentachtig, niet? Het duurde twee of drie maanden en daarna heb je je razendsnel van hem ontdaan. Jij hebt altijd zo'n gave gehad om ze de bons te geven... Zeker van Luisa geleerd.'

'Dat is niet eerlijk, Mariana. Hij bedroog me met de een of andere griet! Bovendien kwam Luisa pas een jaar later bij ons groepje, op de bruiloft van Catarina.'

Ik besluit het gesprek een beetje een kant op te leiden die me meer interesseert.

'En jij, waarom heb jij Guilherme nooit meer gezien? Jullie waren nogal dik met elkaar...'

'Nee, nooit meer. Hij is in de loop der jaren verschillende malen in het buitenland geweest, we raakten het contact kwijt en beetje bij beetje ben ik hem vergeten...'

Hier klopt iets niet helemaal. Vrienden vergeet je niet. Of beter, vrienden vergeten elkaar niet. Er kunnen jaren voorbijgaan, tientallen jaren, maar goede vriendschappen blijven altijd in het geheugen opgeslagen. En Mariana en Guilherme waren goede vrienden.

'Wat vreemd... Jullie waren zo close.'

We gaan aan tafel en er valt een zware, sombere stilte. Mariana kijkt me lang aan en ik voel dat ze aarzelt om het gesprek voort te zetten. Dan slaat ze haar ogen neer en laat zich op klaaglijke toon ontvallen: 'Ja, dat waren we, tot jij kwam.'

Mijn eerste hap pasta blijft op twee centimeter van mijn mond in de lucht steken.

'Zeg dat nog eens.'

'Ik zei, en je hebt me wel gehoord, tot jij verscheen. Heb je het nu gehoord?'

'Ga je me nou vertellen dat indertijd jij en Guilherme...'

'Ik weet het niet, ik had geen tijd om vast te stellen of er zich al dan niet iets zou voordoen tussen ons. Jij denderde met zo'n razende efficiëntie over hem heen dat ik niet eens tijd had om in te grijpen.'

'Maar ik had niet het minste idee!... Je hebt me nooit gezegd dat je verliefd op hem was.'

'Je zou ook niet hebben geluisterd, al had ik het je gezegd. Jij bent altijd veel te druk met jezelf en jouw problemen om naar anderen te luisteren of om te zien wat er om je heen gebeurt. Ik heb je dat eigenlijk nooit goed kunnen vergeven.'

'Hoe kun je me nooit hebben vergeven als ik niet eens wist dat ik je had gekwetst?'

'Dat is het hem nu juist. Trouwens, ik had besloten er nooit over te praten met je, maar vandaag tref je me op een pestdag en ik ben razend, dus ja. Ik was dol op Guilherme, snap je? Ik vond hem niet alleen maar leuk, ik was niet alleen maar zijn vriendin, ik was stapelverliefd! Als meisje al dacht ik alleen maar aan hem. Toen ik vijftien was leerde ik hem kennen op het conservatorium, ik weet het nog alsof het gisteren was. Guilherme was mijn beste vriend, mijn geheime, platonische liefde, de eerste keer dat je je hart voelt overslaan, een brok in je keel, ijzige handen en benen die trillen als een rietje.'

'Maar je hebt ons nooit iets gezegd.'

'Natuurlijk niet. De echt belangrijke dingen in het leven vertel je nooit aan een ander.'

We eten in stilte gedurende enkele minuten. Mariana heeft

haar ogen neergeslagen en lijkt vastbesloten het onderwerp niet meer aan te roeren. Ik ben maar al te vertrouwd met haar resolute, haast bruuske toon als ze een gesprek wil afkappen. Maar toch leg ik me er niet bij neer.

'En Zé Miguel dan? Was hij niet je grote liefde?'

Ze staat op, ruimt de borden af en slaakt een verdrietige zucht terwijl ze de kommetjes rijstepap gaat halen, die er absoluut verrukkelijk uitzien.

'Zé Miguel was wat anders... Ik had een andere leeftijd, al wat volwassener. Ik hield veel van hem, dat is waar. En ik heb enorm gebaald toen hij me de bons gaf, maar dat ging wel over. Bovendien is Zé Miguel niet wijs, dat weet jij beter dan ik, dus zelfs al waren we langer samen gebleven, hij zou me toch hebben teleurgesteld. Ik hou niet van vrouwengekken, vooral niet als ze een affaire beginnen met mijn vriendinnen.'

'Nou, dat met Luisa was niet echt een affaire. Ze hebben het een paar keer gedaan, meer niet.'

'Voor mij komt dat op hetzelfde neer. Of mensen elkaar serieus nemen of niet, dat is uiteindelijk een detail. Wat telt, is hetgeen er tussen hen is gebeurd. Zé Miguel en Luisa deden het met elkaar, en zo te zien beviel het, want zelfs nu maken ze af en toe nog een wip als ze er zin in hebben. Maar denk jij dat dat enige betekenis heeft in hun leven?'

'Als dat niet zo was, zouden ze niet met elkaar naar bed gaan! Maar je zult de een nooit gepassioneerd horen praten over de ander, zelfs niet een beetje verliefderig, en dat wil zeggen dat ze gewoon goede vrienden zijn.'

'Laat iedereen maar met z'n vrienden doen wat hij wil,' antwoordt ze bits, alsof ze een mitrailleur afvuurt en de tegenstander in het hart treft. 'Voor mij dienen vrienden niet bepaald om mee te neuken, maar 't is mij best. Ieder zijn meug... en de rijstepap, wat vind je ervan? Is hij niet zalig?'

Voor ik vertrek, vraag ik Mariana nog of ze mee wil gaan lunchen met mij en Guilherme.

'Ben je gek! Ik ga geen roet in je eten gooien,' antwoordt ze met een droevig glimlachje. 'Zeg hem maar dat ik hem graag wil zien en geef hem mijn telefoonnummer.'

Ik ga vroeg naar huis, voor het moment geconcentreerd op een van mijn dagelijkse veldslagen: die om een parkeerplaats in Bairro Alto. Waarom moest ik ook zo nodig artistiek doen en de donkerste, oncomfortabelste, rommeligste en meest chaotische buurt van de stad als woonplaats kiezen? Ik zou mijn broer en zus als voorbeeld moeten nemen, die gelijk de vroegere 'Nieuwe Christenen' zijn bekeerd tot de nieuwe sekte Telheiras, waarover ze praten alsof dat de swingendste buurt van de stad is. Met de typerende trots van domweg gelukkige echtparen houden ze vol dat Telheiras álles heeft, van parken en scholen tot supermarkten, en dat het bovendien de buurt is met het grootste aantal artsen per vierkante kilometer in Lissabon. Maar ik zou er nog niet dood aangetroffen willen wonen. Het vergaat er van de harmonieuze en zich voortdurend uitbreidende gezinnetjes, stinkend rijke patsers en welgestelde echtparen zonder kinderen. Geef mij maar Bairro Alto met zijn hoeren, visvrouwen en kunstenaars met weinig talent en veel aspiraties die hun maandgeld opsouperen in Casa Varela en Frágil.

Met veel geluk slaag ik erin op luttele meters van de deur te parkeren en ik open zuinigjes mijn brievenbus, in de verwachting tweehonderddertig folders van wijkgenoten aan te treffen, tegelzetters, zonweringinstallateurs, timmerlieden, aanbiedingen om kleding te wassen en de afwas te doen, allemaal met gratis prijsopgave. Eén brief springt eruit tussen alle andere, een groene envelop met onregelmatige, geagiteerde hanenpoten, afkomstig uit ons buurland. Weer een brief van Ricardo.

IV

Vrijdag, kwart over een. Ik zit op het terras van de Nautische Club te wachten op Guilherme, die te laat is. 'Wedden dat hij er oud uitziet, met een dikke pens en een kale kop,' zei Luisa, die niets begrijpt van die manie van me om dingen te herzien, waar het over mannen gaat. 'Kun je niet iets nieuws versieren, moet je weer in de vuilnisbak gaan graaien?' was haar commentaar tussen twee telefonische schaterbuien door toen ik vanochtend de verleiding niet kon weerstaan haar op het werk te bellen om mijn verhaal te doen. Misschien. Maar misschien ook niet. Er zijn mannen die niet verouderen, zoals Zé Miguel, bijvoorbeeld. Met zijn veertig jaar heeft hij nog steeds het gezicht van een jongen die net van de middelbare school afkomt. Wie weet bezit Guilherme wel hetzelfde jeugdige gen...

Dit is de plek waar we voor het eerst samen gingen eten, we kwamen hier veel. Misschien vond ik het daarom niet vreemd dat hij voorstelde elkaar te ontmoeten in ons restaurantje. Ik herinner me een superromantische lunch, toen Guilherme tegen me zei: 'Ik voel me als een jochie van tien dat een nieuw speeltje heeft gekregen...' Sommige dingen vergeet je nooit. Fragmenten die zich uitkristalliseren in de tijd en je laten beseffen hoeveel je al hebt geleefd en in hoeverre je erin bent geslaagd om domweg gelukkig te zijn.

In de verte zie ik een bekend gezicht. Zijn langzame, soepele manier van lopen, jasje over de schouder, rechterhand in zijn broekzak. Dat is hem. Als hij me ziet, versnelt hij onwillekeurig zijn pas en als hij bij me is, buigt hij zich voorover om me te begroeten.

'Je bent niet veranderd,' zegt hij met zachte stem, terwijl hij zijn zonnebril afneemt. Hij ziet er ouder uit, met rimpeltjes rond zijn ogen die ik niet van hem ken, maar hij heeft geen haar verloren en ook geen buikje gekregen.

'Jij bent ook nog steeds dezelfde,' zeg ik met een glimlach. Zo staan we daar twee of drie minuten in stilte, de gelaatstrekken van de ander bestuderend, beiden op zoek naar wat de ander was en wat ervan over is. Daarna beginnen we te praten, elk over zijn eigen leven, alsof we elkaar gisteren nog hebben ontmoet. Dat is nou het heerlijke van een intimiteit die in jaren van stilte bewaard is gebleven. Beetje bij beetje tillen we de sluier op. Hoe in twee uur meer dan twaalf levensjaren samen te vatten? Elk probeert zijn verhaal op rationele en beknopte wijze te structureren, door details en irrelevante episodes over te slaan, in een gevriesdroogd, vacuümgetrokken en bijna zouteloos resumé. Ik was al vergeten hoe serieus en sarcastisch Guilherme kon zijn. Maar ik herinnerde me wel zijn blanke, sierlijke handen die nog steeds stralend en smetteloos zijn, en zijn serene, nieuwsgierige blik. Zijn fraai getekende wenkbrauwen en zijn regelmatige mond... Zo nu en dan wordt zijn blik intenser en verwarmt mijn schouders als een schuchtere, haast onmerkbare streling. Of nee, het komt gewoon doordat ik hem een klein moment aankijk met een zeker verlangen dat ik meteen weer verberg, waarschijnlijk zonder erg veel succes...

Met een nostalgische, dromerige glimlach becommentariëren we ons beider verre verleden. De brieven en de boeketten, de concerten in het Gulbenkian, de doorwaakte nachten. En ook de episode van de ballerina die Cristina blijkt te heten, die Guilherme nooit meer heeft gezien en die ironisch genoeg van geen enkel belang is geweest in zijn leven.

'En ik?'

Guilherme glimlacht een hele poos voor hij antwoordt.

'Jij wel degelijk... we waren stapelverliefd. Maar dat is al zo lang geleden, alsof het in een ander leven is gebeurd, heb jij dat ook niet?'

'Misschien... toen we verkering hadden was ik een meisje, nu ben ik een vrouw.'

Opnieuw diezelfde glimlach, lang en vol verstandhouding.

'Jij wordt nooit een vrouw. Jij houdt altijd dat meisjesachtige, zul je zien.'

'Ik weet niet of dat een compliment is.'

'Natuurlijk.'

Guilherme neemt me nieuwsgierig op terwijl hij het – uiteraard gedateerde – beeld reconstrueert dat hem is bijgebleven, en met het heden erbij een andere Madalena probeert samen te stellen, van wie hij geen flauw idee heeft wie het is, alsof hij tegelijkertijd twee verschillende puzzels moet leggen die uit twee dozen komen. En ik registreer iedere gelaatstrek, iedere buiging van zijn stem, ieder gebaar dat hij maakt, in een subtiele poging om mijn hart sneller te horen kloppen.

Guilherme vat in grote lijnen de afgelopen tien jaar samen, zijn huwelijk met een jeugdvriendinnetje, de geboorte van zijn dochter Vera, de groeiende afstand en het onbegrip tussen hem en zijn vrouw, die uiteindelijk, nadat alle ruzies, beledigingen en kansen op begrip waren uitgeput, leidde tot een geciviliseerde, rationele en kille scheiding.

'We waren altijd al erg verschillend en in de loop der jaren vormden die verschillen een diepe, niet te overbruggen kloof. Maar ik heb er lang over gedaan de knoop door te hakken. Het was moeilijk, vooral vanwege Vera. Gelukkig heeft zij de situatie heel goed opgevat. Tegenwoordig zijn er veel kinderen met gescheiden ouders, ze vinden dat al heel gewoon, want hun vriendjes en vriendinnetjes op school leven in soortgelijke omstandigheden en het is niet meer stigmatiserend, zoals in onze generatie. Bovendien heb ik een bijzonder sterke band met haar. We staan heel dicht bij elkaar en ze komt zo vaak het kan bij mij thuis. Ik heb een woning gehuurd dicht bij ons vroegere huis, waar ze nog steeds met haar moeder woont, dus ik zie haar bijna dagelijks.'

Ik laat me een zucht ontglippen.

'Kinderen... die had ik wat graag willen hebben. Ten minste een, om erover te kunnen praten zoals jullie, die ze wel hebben, erover praten.'

'Maar waarom heb je er geen? Waarom ben je nooit getrouwd?'

'Weet ik veel. Ik had kunnen trouwen met die laatste vriend van me, Francisco, maar het liep op niets uit. Ik heb nog een niet helemaal verwerkte geschiedenis, een Baskische jongen die twee jaar bij me heeft gewoond; hij is ongeveer een jaar geleden weggegaan en ik zit daar nog steeds mee.'

'Jullie vrouwen zouden wat meer pragmatisch en wat minder gecompliceerd op de wereld moeten komen. Mijn ex kwam af en toe ook aan met zo'n verhaal, maar dat kapte ik dan meteen af. Op een dag verloor ik mijn geduld, ik zei haar dat als ze haar vroegere vriendje wilde zien, ze dat dan maar diezelfde avond moest gaan doen, omdat ik zin had om alleen thuis te blijven en een film te zien. Ik heb de agenda gepakt en heb haar het telefoonnummer gedicteerd om goed duidelijk te maken dat ik echt wilde dat ze het deed.'

'En was dat ook zo?'

'Natuurlijk! Anders had ik het toch niet gedaan? Het was al tegen het eind, kort voordat we uit elkaar gingen. Op dat moment begreep ik dat ik niets meer voor haar voelde. Als je niet jaloers meer bent, geen bezitsdrang meer hebt, dan komt dat doordat het helemaal afgestorven is, er niets meer over is.'

'En dat wil zeggen dat voor jou de zaak gesloten is?'

'Totaal. Ze is mijn vrouw geweest en ze is de moeder van mijn dochter, maar verder niets. Einde verhaal. Maar laten we niet meer over mij praten... Vertel me eens wat je doet, waar je werkt, al dat soort dingen.'

Ik beschrijf hem mijn appartement in Rua da Rosa, het dagelijks leven op de redactie, de domme interviews die ik maak met trendy personen. Ik vertel hem hoe het met mijn ouders en broer en zus gaat, hoeveel neefjes en nichtjes ik van elk heb, over de dood van oma Helena en het vriendinnengroepje dat ik in de loop der jaren heb gehouden. Ten slotte komt het gesprek onvermijdelijk op Mariana.

'Ze had een enorm talent... Ik heb nooit meer iets van haar gehoord. Wat doet ze nu? Is ze bij een orkest gegaan?'

'Nee. Ze geeft les aan het conservatorium. Ze woont alleen in een heel leuk huis aan Praça das Flores en ze is nog steeds dezelfde, een uitstekend kokkin, een beetje op zichzelf. Toen ik haar vertelde dat ik met je ging lunchen, kreeg ze zin om je te zien.'

'Grappig... Ik zou haar ook graag willen zien,' zegt Guilherme tussen twee happen gekookte aardappel door, een bijgerecht bij de abnormaal grote gegrilde pargo die we hebben gekozen. Het is stralend weer en Guilherme zet zijn zonnebril op, die hem uitstekend staat. Ik houd me niet in en kijk met plezier naar hem. Hij is zonder twijfel een mooie man. En intelligent. En slim. Welgemanierd. Hij draagt een absoluut onberispelijk donkerblauw pak, een discrete das en een paar zeer smaakvolle manchetknopen. De zegelring is misschien het enige wat me een beetje dwarszit, maar welbeschouwd is dat van geen belang.

'We waren hecht bevriend toen we op het conservatorium zaten. Daarna, toen ik naar Parijs ging, schreef ze me heel vaak en in de tijd dat ik met jou omging zag ik haar nog een paar keer, maar daarna heb ik haar nooit meer ontmoet.'

'En weet je waarom niet?'

'Geen idee. Zo is het leven, denk ik, mensen drijven zonder duidelijke redenen van elkaar af, zo gaan die dingen. En bovendien verandert je leven compleet als je gaat trouwen. Je leefwijze wordt die van een getrouwde man, je gaat uit met vrienden die ook getrouwd zijn en kinderen hebben. Dat gebeurde mij ook toen ik trouwde. Ik kon goed overweg met de vrienden van mijn vrouw, maar nu we gescheiden zijn, zie ik mijn oude vrienden weer...'

Hij neemt zijn zonnebril af en streelt mijn hand.

'Wat heerlijk om je weer te zien.'

'Vind ik ook,' antwoord ik haast fluisterend terwijl ik mijn hand in de zijne leg.

Alea jacta est. Opnieuw begint de duizeling van het verlangen, en ik weet al dat ik opnieuw mijn verstand ga verliezen. Mijn God, ik begin een ál te vrolijke weduwe te worden. Maar feitelijk had ik de rouw al afgelegd met Francisco. Misschien was dat wel zijn enige functie: mij terugbrengen naar de normale wereld van de levenden die van het leven houden.

Ik kijk op mijn horloge en het is al kwart over drie. Als ik niet binnen vijf minuten op de redactie ben, krijg ik Paulo op mijn nek; zodoende vragen we de rekening. Guilherme betaalt met een cheque omdat dat sneller gaat en begeleidt me naar mijn auto met een uitnodigende, onweerstaanbare glimlach. Ik neem afscheid met een kus en laat me ontvallen dat ik geen afspraken heb voor het weekeinde.

'Morgenvroeg bel ik je en als het van dit lekkere weer is maken we een tochtje met de motor naar Arrábida, goed?'

Het staat vast. Ik ga Guilherme uitnodigen om met mij naar het feest van het tijdschrift te gaan.

Paulo zit helemaal hyper in het kantoortje naast mij de mailing voor het feest voor te bereiden en merkt niet eens dat ik te laat ben. Hij heeft alle sponsoring al geregeld en het gaat hem opnieuw lukken een diner met fazant en Moët & Chandon voor meer dan vijfhonderd personen aan te richten zonder een cent uit te geven. Als ik mijn contacten zo wist te bespelen zat ik op dit moment al op de Bahama's voor een vakantie van drie maanden, een heel seizoen, zoals onze grootouders deden wanneer ze voor het badseizoen naar Figueira da Foz gingen. Hij vraagt me hoe het staat met de drukproeven van het jubileumnummer die werkeloos op mijn bureau liggen, nog niet nagekeken, en ik stort me ijverig op mijn werk, aangemoedigd door het vooruitzicht vandaag alles te kunnen afronden en de correcties in te leveren bij Elisa van de drukkerij. Twee interviews van elk acht pagina's met Kevin Costner en Jodie Foster vormen het raamwerk, te midden van artikelen die razend interessante thema's behandelen, zoals de vorige jubilea van het tijdschrift, wat de beste interviews waren en de beste foto's, de grote gebeurtenissen van het jaar en een oneindige lijst van bekenden die hun – steevast positieve – mening over het blad geven. Een juweeltje.

Het is halfacht als Catarina belt om me uit te nodigen voor het avondeten. Een van de dingen die ik het prettigste vind aan mijn vriendinnenclubje is het gastronomische karakter ervan. We doen niet anders dan samen lunchen en dineren, hetgeen een praktische en efficiënte mogelijkheid biedt voor het ontvluchten van de eenzaamheid, want er bestaat niets droevigers dan alleen eten.

Het zijn de kinderen die opendoen en me omstandig en nogal opgewonden ontvangen, verborgen achter de capes van de angstaanjagende Luke Skywalker en de diabolische Darth Vader. Ik krijg de slappe lach, die nog wordt verergerd wanneer Catarina me als een engel komt begroeten, met een grafstem mompelend: '*May the force be with you.*'

Bernardo is net thuisgekomen en hij doet uitgesproken lief tegen haar en de kinderen. Ze lijken weer het perfecte gezinnetje waar Catarina zich met zoveel opofferingsgezindheid voor inzet. Misschien zijn ze erin geslaagd de crisis op te lossen en heeft Catarina Bernardo's zijsprong maar weer terzijde geschoven als iets onbetekenends. Ze is er tenminste niet meer over begonnen en ik heb het onderwerp ook maar niet meer aangesneden, meer uit beleefdheid dan iets anders. De uren vliegen om met verhaaltjes van de kinderen en de moppen die Bernardo heeft verzameld tijdens hun vakantie in de Algarve. Mijn zwakke punt is dat ik zo van gezinnetjes hou. Ze voeden mijn instinctieve, basale en onbedwingbare verlangen er ook een te hebben.

Ik word om tien uur wakker doordat de zon door de kieren van de slecht gesloten jaloezieën schijnt. Beneden op straat is het de gewoonlijke folklore. Hilda werkt haar litanie af tegen Idalina: Adalberto die weer dronken is thuisgekomen, het oudste joch dat losgeslagen, het kleinste dat ziek is, en ga zo maar door. De twee staan in hun dusters te kletsen, elk op de drempel van haar voordeur, alsof ze zich in een dorp bevinden. En dat is ook zo. Met enige moeite sta ik op en ga naar de keuken om een ontbijt te maken. Ik zet het op een dienblad en keer terug naar bed. Mijn donzen dekbed begint zich welhaast te ontwikkelen tot mijn favoriet erotisch gezelschap. Ik rol me lekker op onder de gladde witte dekbedhoes van katoen, omzoomd met broderie, en nuttig genoeglijk mijn melk met Ovomaltine en crackers met plakjes kaas.

Rond elf uur gaat de telefoon. Het is Guilherme, die met een slaperige stem vraagt of ons motortochtje nog doorgaat. We spreken af om naar Arrábida te gaan en daar te lunchen. Ik geef hem mijn adres en constateer dat ik twee uur heb om me klaar te maken. Ik heb zin om hem te zien, bij hem te zijn, erachter te komen of er al dan niet enige consistentie zit in wat ik voel. Ik wil niet denken dat ik verliefd ga worden, mezelf nogmaals voor de gek houden zoals met Francisco. Daarbij, Ricardo's brief is een week te laat aangekomen. Hij schrijft dat hij is uitgenodigd om de top van Latijns-Amerikaanse landen op 15 oktober in Lissabon te verslaan en hij vraagt of hij bij mij kan logeren. Hij schrijft ook dat hij heimwee naar me heeft en nog steeds veel om me geeft, maar de afstand en de stilte tussen die andere brief en deze maakt me achterdochtig.

Misschien was de eerste oprecht, maar de tweede klinkt beslist naar eigenbelang. Of ik ben degene die eindelijk in ander vaarwater begint te geraken. Tijd verzacht alles en vaagt weg wat niet werkelijk belangrijk is. Ik kan me zijn gezicht niet meer goed herinneren. Alleen zijn grote, groene, amandelvormige ogen, die zonder enige ceremonie regelrecht doordrongen in mijn ziel. De rest is nevelig, schaarse en diffuse fragmenten van een liefde met enkele buitengewone en andere zeer pijnlijke en moeilijke momenten. Maar zouden niet alle liefdes zo zijn? En zouden die liefdes, de meest veelbewogen en de moeilijkste, niet duizendmaal beter zijn dan de lauwe, harmonieuze tweederangsliefdes die bestaan uit gemeenschappelijke bankrekeningen en elkaar aanvullende interessen, met veel wikken en wegen en weinig oprechtheid? Wat is nou eigenlijk de juiste manier om lief te hebben? Met passie en zonder grenzen, of gematigd en verstandig? Ik moet er niet aan denken dat het de tweede optie is, maar constateer dat de bestendige liefdes om me heen zo zijn. En als die bestendig zijn, wat is dan het geheim van hun lange levensduur? Waarom blijft Catarina getrouwd met Bernardo als ze weet dat hij haar bedriegt en ze alle seksuele interesse voor hem heeft verloren? Wat maakt dat João met Teresa getrouwd blijft als zij precies het tegenovergestelde is van zijn ideale vrouw? Zouden Luisa en Mariana, ieder op hun manier, niet een juistere keuze maken? Waarom moeten mensen tenslotte samenleven en kunnen ze niet gelukkig zijn in hun eentje, genoeg hebben aan zichzelf? Misschien kan dat ook wel, maar niet iedereen heeft er het karakter voor. Antonio is uit dat hout gesneden, want hoewel hij van veel vrouwen heeft gehouden, heeft hij maar zelden met ze samengewoond, en als hij dat al deed was het voor korte perioden, te kort om het gewicht te krijgen van een stabiele, geïnstitutionaliseerde relatie. Misschien heeft iedere persoon zo zijn eigen element waarin hij gelukkig is, en zou het het beste zijn als iedereen in overeenstemming met het zijne leefde. Dat van Catarina is het gezin, ondanks alle nadelen en problemen, dat van Luisa is de verovering, dat van Teresa is mokken en mopperen, dat van Mariana huiselijkheid, conservatorium en vrienden. Was het maar net zo makkelijk te ontdekken wat voor jezelf het beste is als voor anderen...

Het gebergte van Arrábida blijft prachtig, donkergroen en imponerend, woest, ontembaar, Portugees en atlantisch. Guilherme rijdt langzaam en voorzichtig, wat de reis het onmiskenbare karakter van een rijtoertje geeft waar ik zo dol op ben. Bijna wellustig geniet ik van ieder moment van snelheid, terwijl ik mijn borst tegen zijn rug aan vlij, zacht en verend door zijn donkerbruine suède jas waarin hij er onweerstaanbaar uitziet. Misschien is dit mijn element: het pre-stadium. Dat vond ik de fijnste tijd met Ricardo, en ook met Francisco. Het 'voordat'. In het 'tijdens' gingen de dingen niet meer zo best. Misschien hou ik van houden van, hou ik van verliefd worden, hou ik van de moeite die je in het begin overal voor moet doen, zonder te investeren in de realiteit. En misschien is dat nu juist mijn beperking: dat ik niet weet hoe ik het doodse, in kringetjes ronddraaiende dag-in-dag-uit moet overleven, de monotonie van het permanent samenleven die bijna alles doodt: de passie, het vuur, het mysterie en zelfs de intimiteit. De mannen die ik graag in bed had, bleken maar zelden draaglijke wezens in mijn leven. Ik heb er altijd de pest aan gehad om badkamer en tandpasta te delen, een ander kanaal op te moeten zetten en een film van Woody Allen te onderbreken om erachter te komen of Benfica al dan niet nog een doelpunt heeft gescoord, iedere ochtend de douchebak te moeten schoonspoelen om de harige sporen van een mannetjesdier uit te wissen, op de meest onwaarschijnlijke plekken een enkele ineengefrommelde zwarte sok tegen te komen, zonder wederhelft. Intimiteit is kennelijk een schaars goed, mits de geliefden haar zorgvuldig doseren om die liefde nooit te doden. Zoals echtparen doen die in aparte kamers slapen vanwege het plezier om elkaar te kunnen opzoeken, die met zijn tweeën op vakantie gaan om in die paar dagen van rustige afzondering de noodzakelijke zuurstof op te doen voor weer een jaar stress. Die de afwezigheid van de ander accepteren zonder te gaan twijfelen over de relatie. Die functioneren als twee volkomen autonome personen, onderling verbonden door een gedeelde liefde, wijs, discreet, sterk en meer in het hart gegrondvest dan in het hoofd, en meer in vertrouwen dan in gewoonte. Ik heb er altijd van gedroomd om een discrete man naast me te hebben die op me vertrouwt en die begrijpt hoe belangrijk het is om elk je eigen ruimte te hebben, zelfs al woon je in hetzelfde huis, en elk je eigen tijd te hebben, zelfs al blijft er niet veel tijd over om samen te zijn. Dat is de man die ik nog steeds zoek, die waarschijnlijk alle vrouwen zoeken en die waarschijnlijk niet bestaat.

Het is twee uur in de middag, maar het restaurant is opvallend leeg voor een zaterdag aan het eind van de zomer. Misschien heeft de nevel waarachter de brug midden op de ochtend schuilging een ontmoedigende werking gehad en de inwoners van Lissabon, die behept zijn met de kwaal van de weekenduitstapjes, ertoe gebracht om hun vertrek uit te stellen en nog een kop koffie te gaan drinken in de pastelaria op de hoek. Guilherme prijst zich gelukkig om de afwezigheid van de grote massa en merkt op dat eenzaamheid een aangenaam goed is, mits je er goed gebruik van maakt.

'Sinds ik ben gescheiden, maak ik tijd voor alles wat ik wil. Ik lees veel meer, luister meer naar muziek, maak tochtjes op de motor zonder op een bepaald tijdstip terug te hoeven zijn, kortom, ik doe waar ik zin in heb.'

'En deed je dat niet toen je getrouwd was?'

'Misschien geloof je me niet, maar dat deed ik inderdaad niet.'

'Nou, dan ben je toch echt de enige, want de mannen van mijn vriendinnen doen precies waar ze zin in hebben. Óf ze gaan tennissen, óf jagen, óf ze gaan eropuit op de motor, en zíj blijven zitten met het badje, de flesjes, de luiers, de middagjes in Jardim da Estrela, schommels aanduwend en dromend van het vrijgezellenbestaan.'

Guilherme glimlacht.

'Zo ken ik je weer, met die rake, sarcastische opmerkingen van je. Als meisje was je al zo; ik zie dat je niet bent veranderd.'

Was dat maar waar.

'Heb je al bedacht waarom je nooit bent getrouwd?'

De vraag wordt op zo'n directe en doordringende manier gesteld dat hij me compleet overvalt. Ik vraag de ober me een beetje bij te schenken uit de fles goed gekoelde, droge witte wijn, die met een keurig servetje om de hals staat te wachten.

'Je hoeft niet te antwoorden. Het was zomaar een vraag die in me opkwam.'

'Ik weet eigenlijk niet goed wat het antwoord is,' antwoord ik ongemakkelijk. Guilherme heeft zijn vinger op een zere plek in mijn leven gelegd. Een metafysische dialoog in deze ludieke omgeving is niet waar ik het meeste zin in heb, maar soms moet je een uitdaging aangaan.

'Ik ben niet getrouwd omdat ik nooit de persoon ben tegengekomen die in de loop der tijd schappelijk genoeg bleek alle dagen van mijn leven met zijn aanwezigheid te vullen.'

Guilherme glimlacht opnieuw.

'Dat antwoord is niet goed genoeg. Probeer het nog eens.'

Ik haal diep adem op zoek naar inspiratie, maar ik weet niets interessants te zeggen.

'Wat wil je dat ik zeg? Ik ben niet getrouwd omdat ik, toen ik jonger was, plezier wilde maken en wilde reizen. Daarna verstreken de jaren en toen ik met Ricardo samenwoonde merkte ik steeds dat onze karakters niet bij elkaar pasten, en beetje bij beetje ben ik eraan gewend geraakt om alleen te leven.'

'En die vent met wie je een relatie had, die Francisco, was dat niet serieus?'

'Aanvankelijk dacht ik van wel, maar later merkte ik dat het niet zo was. Het was een therapeutische verliefdheid om me te genezen van de geschiedenis met Ricardo.'

'En, ben je genezen?'

'Moet ik nog meer vragen beantwoorden of kunnen we overgaan op de nagerechten?'

'Nee, hoeft niet; dat was al voldoende als antwoord.'

Ik sla mijn ogen neer en concentreer me op het uitpeuteren van de resten van de tarbot. Guilherme steekt zijn hand uit en pakt zacht de mijne.

'Kom op, niet zo triest. Je zult zien dat je een dezer dagen 's ochtends wakker wordt en merkt dat Ricardo uit je hoofd is verdwenen. Sommige dingen moet je niet forceren. En je hoeft ook niet opnieuw verliefd te worden. Je bent een volwassen vrouw, je kunt je eigen keuzes maken. De dag waarop je merkt dat Ricardo niet eens een keuzemogelijkheid is, is hij uit de weg.'

Ik heb zin om hem te omhelzen, gewoon om wat hij tegen me zegt, maar stort me op de frambozentaart, die geheel voldoet aan mijn culinaire verwachtingen. Ik vind het heerlijk om naar Guilherme te kijken, maar nog heerlijker om hem te horen praten, alsof zijn stemgeluid een automatisch instantbetoveringseffect op me heeft. Hij is gevoelig en subtiel en kan zo voorzichtig tussen de regels door lezen dat ik niet eens besef dat hij alles doorheeft, zelfs datgene waarvan ik nog niet zeker weet of ik wil dat hij het begrijpt. Ik voel me bij hem vreemd kalm. Mijn hart staat niet in lichterlaaie zoals toen ik verliefd was op Ricardo, of toen ik dat dacht te zijn op Francisco. Integendeel, een lang niet gevoelde sensatie van zoete, wijze sereniteit komt over me.

'Herinner je je de avonden die we doorbrachten met lezen en naar Billie Holiday luisteren? Ik geloof dat ik me weer achttien voel...' laat ik me fluisterend ontglippen.

'En ik voel me weer een jochie van tien dat een nieuw speeltje heeft gekregen,' antwoordt hij met een verrukkelijke glimlach.

V

4 Oktober 1996. Het uur u nadert. Het redactiekantoor is leeg. Paulo heeft de afgelopen achtenveertig uur in het Palácio do Correio Mor gebivakkeerd om de voorbereidingen van het feest te superviseren. De telefoon heeft de afgelopen week roodgloeiend gestaan met andere kranten, radiozenders, tijdschriften en societyprogramma's van tv die toestemming vroegen om foto's te maken tijdens het evenement. Ik heb het nooit prettig gevonden om in de coulissen te staan bij dit soort dingen. Liever ben ik een anonieme genodigde: thuis de envelop ontvangen met erin de zoveelste uitnodiging voor het zoveelste feestje en zorgeloos overwegen of ik zal gaan of niet. Bevestigingen versturen, naar deze en gene bellen om te weten of ze komen, checken of ik geen onmisbare gast ben vergeten uit te nodigen, dit alles vormt deel van de taken die ik moet verrichten omdat ze inherent zijn aan mijn werk, maar waar ik me diep ongemakkelijk bij voel. Die tekortkoming vergeeft Paulo me niet, maar ik doe of ik niets doorheb en zeg hem altijd dat ik een beetje te verstrooid ben om dit soort werk efficiënt te kunnen uitvoeren. De waarheid is dat ik, behalve dat ik ze vervelend vind, het belang of voordeel van dit soort feesten totaal niet inzie. Gelukkig heeft Guilherme me beloofd me op de naderende kruistocht te vergezellen, en het quorum gevormd door Mariana, Luisa, João met Teresa en Bernardo met Catarina zal ook helpen de avond sneller om te krijgen. Maar eerst moet ik nog bij Mariana langs om haar uit te leggen dat ik iets met Guilherme heb. Dat had ik

meteen moeten doen nadat we naar Arrábida waren geweest, maar ik had er de lust en moed niet voor. Het was Guilherme die me aanraadde met haar te gaan praten, toen hij me zag zitten peinzen nadat ik hem had verteld over het gesprek tijdens onze laatste eetafspraak bij haar thuis. Zoals zo vaak gebeurt, had hij niet eens gemerkt dat ze verliefd op hem was en behandelde hij haar daarom altijd als een gewone vriendin. Een misverstand dat Mariana dagen en nachten van verdriet en gekwetstheid heeft gekost en mij mijn liefste vriendin kan gaan kosten. Of misschien ook niet.

Zwijgend hoort Mariana mijn gammele en chaotische verklaring aan, geuit op de biechtende toon van iemand die zich schuldig voelt en geen vergeving verwacht. Halverwege mijn vaag voorbereid betoog beginnen mijn woorden onbestemd rond te zwerven in bespiegelingen over verliefdheid en vriendschap. Aangezien zij niet deelneemt aan het gesprek, eindig ik mijn monoloog met enkele afsluitende stellingen die samenvatten hoeveel ik om haar geef en hoe ongemakkelijk ik me bij de situatie voel. Pas dan glimlacht ze, een triest en stralend glimlachje, en vraagt me naast haar te komen zitten.

'Weet je, lieverd, er bestaan geen definities voor hetgeen je net hebt gezegd. Iedere vriendschap is anders en uniek, en daardoor komt het dat ware vriendschappen een leven lang duren, omdat ze bestaan uit een unieke, geheime materie waarvan de formule niet eens aan de vrienden zelf bekend is. Als het Luisa was geweest die me vertelde wat jij me hebt verteld, zou ik misschien anders reageren. Maar jij bent voor mij als een jongere zus, je bent een vriendin die altijd tijd en geduld heeft om naar me te luisteren en mijn buien te verdragen. Ik kan totaal niet boos op je zijn, snap je? En daarbij is Guilherme al zo'n oud verhaal dat het geen enkel belang meer heeft. Waarschijnlijk heb ik zo'n mythe van hem gemaakt juist omdat we nooit iets hebben gehad. En als je jaren achtereen alleen bent, worden dromen en herinneringen je beste gezelschap. Toen je laatst hier was, deed ik nogal onaardig tegen je, maar later zat ik het allemaal te overdenken, en wat ik wil is dat jij gelukkig bent, hetzij met Guilherme, hetzij met iemand anders, want ik weet dat jij in het omgekeerde geval hetzelfde zou denken, waar of niet?'

Mariana met haar hart zo groot als de wereld. Ik raak geëmotioneerd door wat ik hoor en geef haar een warme omhelzing om het te verbergen.

'Je bent het einde! Als je een vent was trouwde ik met je en liet ik je nooit meer gaan. Kom je vanavond naar het feest?'

'Ik weet niet... Guilherme komt met jou, hè?'

'Ja, maar dat is geen reden om niet te komen.'

'Natuurlijk niet, integendeel, het is zelfs een uitstekende prikkel om me te motiveren,' en met een samenzweerderig glimlachje voegt ze eraan toe: 'Maar maak je geen zorgen, ik kom niet alleen. Ik heb iets aan de haak geslagen... je zult wel zien.'

Guilherme en ik hebben afgesproken dat hij om negen uur hierheen komt en dat we hier even iets eten alvorens rechtstreeks naar het feest te gaan. Hij daagde me nog uit voor een dineetje buitenshuis, maar ik haat het om al te feestelijk gekleed in publieke gelegenheden te komen, dan voel ik me net een soort circusattractie van het type 'de vrouw met de baard en zes tenen aan elke voet'. Mijn douche wordt onderbroken door een fout getimed telefoontje. Waarschijnlijk Guilherme met de mededeling dat hij later komt. Het diplomatenbestaan heeft hem zo punctueel gemaakt dat hij in staat is een vertraging van tien minuten te melden.

'Ja, hallo?'

'*Hola, qué tal,* ik ben het, Ricardo. Hoe gaat het met je?'

Ik zak neer op de bank voor ik antwoord geef. Ricardo, nu, op dit moment, terwijl ik net onder de douche vandaan kom en Guilherme ieder moment hier kan zijn; dat ontbrak er nog maar aan. Ik vraag of het goed met hem gaat en zeg dat ik me aan het klaarmaken ben voor het feest, terwijl ik naar de natte voetafdrukken staar die ik in de kamer heb achtergelaten en voel hoe de laatste druppels water van mijn wreef afglijden tot ze zich in reliëf aftekenen op de vloer. Waarschijnlijk denkt hij terug aan de scène die hij twee jaar geleden maakte op de avond van het feest, want hij klinkt schutterig aan de andere kant van de lijn.

'*Mira*... eind volgende week kom ik naar Lissabon en ik zou graag bij jou willen logeren,' zegt hij op smekende toon, zijn verzoek verpakkend in een verhaal dat hij werkt voor een krant in Pamplona en de top van Latijns-Amerikaanse landen komt verslaan, zoals hij me in de brief ook al had uitgelegd. Ik antwoord hem dat het gemakkelijker was geweest als hij een telefoonnummer of een contactadres had gegeven en dat het me nu een beetje rauw op mijn dak valt, maar hij legt me uit dat hij tweemaal is verhuisd sinds zijn terugkeer in Pamplona en dat de krant zijn hotel betaalt, maar dat hij liever bij mij wil logeren omdat hij heimwee naar me heeft en me heel graag weer wil zien. Impulsief en zonder aan de consequenties te denken stem ik toe, na hem te hebben verteld dat ik een ander heb.

'Niets aan de hand, *cariño*. We blijven toch vrienden? Ik slaap gewoon op de bank en er gebeurt niets. Kan het?'

Het kan. Moet kunnen, nietwaar?

Ik tut me op, terwijl de zenuwen door m'n lijf gieren. Voelde ik me net zo lekker met mezelf, komt die klier mijn rust weer verstoren. Nou ja, die verstoort hij alleen als ik het toelaat. En om het toe te laten moet ik het willen. Stomme trut. Waarom kon ik hem niet vertellen dat ik van een andere man hou, dat ik hem niet hier in huis wil, dat hij maar een hotel neemt en me met rust laat? Omdat ik zwak ben. En inconsequent. Omdat ik geen weerstand heb tegen de duizeling van de afgrond, het rekken van het koord en zien hoe lang ik het volhoud zonder vangnet. En omdat ik nooit iets zal opsteken van de narigheid die me overkomt.

Het is een paar minuten over negen als Guilherme arriveert. Ik heb mijn haar al gedaan en me opgemaakt. De zijden peignoir op mijn blote huid wekt zijn begeerte en hij verslindt me met zijn ogen. Hij oppert nog iets over een romantisch intermezzo, maar ik snijd hem de pas af met het argument dat ik er eerder moet zijn dan de gasten om te zien of alles in orde is. Hij merkt al gauw dat ik vreemd doe, maar ik smeek hem me geen vragen te stellen en beloof hem dat ik later zal uitleggen wat er aan de hand is.

De auto glijdt stil en vlug over de snelweg en automatisch check ik in het spiegeltje het lijntje rond mijn lipstick. Mijn spiegelbeeld straalt kalmte en sereniteit uit. In elk geval heb ik in de loop der jaren geleerd mijn innerlijke stuiptrekkingen te camoufleren.

'Als je nu wilt praten; ik ben een en al oor,' zegt Guilherme zacht terwijl hij zijn rechterhand op mijn knie legt.

Ik had het pas later met hem erover willen hebben, maar de gelegenheid maakt de biecht en ik vertel hem over mijn gesprek met Ricardo. Ik leg uit dat ik hem heb verteld dat ik een ander heb en dat hij in de kamer komt te slapen. Guilherme haalt zijn ogen niet van het wegdek en houdt een serene en ondoordringbare uitdrukking op zijn gezicht.

'De kwestie is voor mij niet of hij al dan niet in je huis komt, maar of jij al dan niet wilt dat hij komt.'

Ik sla mijn ogen neer en verstrengel instinctief mijn vingers.

'Ik heb nu geen antwoord op die vraag, probeer het nog eens over vijf minuten.'

'Je hebt wel een antwoord; dat heb je me net gegeven.'

En hij vervalt in een diepe, vijandige stilte. Ik weet dat hij gelijk heeft. Dat het onaanvaardbaar is dat ik een vroegere vriend uitnodig om bij mij te logeren, al is het maar voor twee dagen en al slaapt hij op de bank. Ik weet dat ik een relatie die ik wil met een man van wie ik hou, misschien op het spel zet door een stommiteit. Maar dat heb ik nog liever dan de feiten niet onder ogen zien of verzwijgen wat ik voel en denk.

'Hoor eens... ik vind het geen prettig idee dat jij die vent in huis haalt, maar dat is jouw beslissing en ik heb het recht niet je te verbieden te doen wat je wilt, dus voor nu laten we het hierbij. Vanavond gaan we plezier maken en jij hebt twee weken voor je om er rustig over na te denken hoe je deze situatie oplost. Het zijn jouw zaken, het is niet aan mij om me daarin te mengen. Het zou veel gemakkelijker voor je zijn als ik er zonder meer tegenin zou gaan en je zou dwingen om een beslissing te nemen, maar zo zou ik het je alleen maar makkelijk maken. Jij bent maar al te zeer gewend te doen wat je wilt en niet voor de gevolgen van je keuzen op te draaien, maar deze keer moet je zelf maar zien hoe je eruitkomt, en daarna zien we wel weer.'

We zijn er. Ik haal diep adem en wacht even voor ik uitstap. Guilherme opent het portier voor me.

'Ik heb je nog niet gezegd dat je er prachtig uitziet, of wel?' vraagt hij met zijn mond aan mijn oor. Dan glimlacht hij rustig en hoffelijk, alsof er niets is voorgevallen en gaan we gearmd naar binnen. Ik sta onvast op mijn benen, ik weet niet of het komt door mijn hoge hakken of mijn nervositeit na ons gesprekje in de auto. Ik dacht dat hij kwaad zou worden en zou eisen dat Ricardo niet bij mij thuis kwam, dat hij onze relatie in het geding zou brengen en zou vragen of de aanwezigheid van Ricardo een bedreiging voor ons zou kunnen vormen. Maar hij is er weer eens in geslaagd me te verbazen. Hij heeft de hete aardappel naar mij doorgespeeld en nu ben ik het, en ik alleen, die deze kwestie moet oplossen, ten goede of ten kwade, en de consequenties van mijn daden moet aanvaarden. Daar ben ik niet aan gewend.

De mensen beginnen binnen te druppelen in groepjes van twee of vier, en daar begint het feest der ijdelheden, het bal der avondjurken, de symfonie der juwelen, het spektakel van de pronkzucht dat zo karakteristiek is voor dit soort evenementen. Een voor een paraderen de bekendste personen uit de Portugese samenleving langs elkaar, waarbij ze elkaar omstandig begroeten of links en rechts discrete, gereserveerde handdrukjes geven. Luisa arriveert samen met Teresa en João. Ze ziet er absoluut verpletterend uit, in een laag uitgesneden donkerblauwe jurk die al met al minder dan drie handbreedtes lang is en haar fantastisch staat, wiegelend op een stel hakken van minstens 15 centimeter. Teresa komt als haar eigen, lelijke zelf, in een strak zwart rokje dat compleet uit de mode is en een zilvergrijze blazer die haar niet goed en niet slecht staat. João, die er patent uitziet in zijn smoking, strijkt over zijn snor terwijl hij met roofdierogen zijn omgeving opneemt. Even later komt Catarina binnen, heel ingetogen, in een lange zwarte jurk met een zandkleurige stola, arm in arm met Bernardo. De fotografen omzwermen de mensen bij binnenkomst en de lucht hangt vol glimlachjes in alle maten die alle gevoelens verbergen. Het is een feest en men moet zich vermaken. Even later zie ik Odete in een ronduit smakeloze zwartkanten jurk en een paar hooggehakte schoenen waarmee ze de plank niet erger had kunnen misslaan. Ze staat met haar mobiele telefoon in de hand wanhopig met iemand te bellen.

Bernardo en Catarina, die met ons staan te praten, worden onderbroken door het synthetische, metalige gejengel. Na een verontschuldiging gaat Bernardo een paar meter verderop staan en neemt op.

Catarina praat verder over de laatste wapenfeiten van hun oudste zoon Bernardinho, die het schoolkampioenschap judo heeft gewonnen, maar ik hoor geen woord dat ze zegt omdat ik ineens het allerergste doorheb: Bernardo staat in zijn mobiele telefoon te praten en Odete ook. Ze staan waarschijnlijk op minder dan twintig meter afstand van elkaar, maar met hun rug naar elkaar toe. Als hij spreekt, zwijgt zij. Als zij spreekt, luistert hij. Toeval bestaat niet. Zíj is de minnares van de overkant, zíj is degene die hij ieder weekend met zijn mobiel belt; hoe kan ik zo stom zijn geweest dat ik deze opzet nooit heb doorgehad? Hij was vast degene met wie ze uit eten ging, de dag dat ze mijn horloge te leen vroeg; daarom vloog ze mijn kantoor uit toen hij me belde. Dus daarom hangt ze het deftige meisje uit, kleedt ze zich anders en vertoont ze zogenaamd verfijnde maniertjes. En toen ik met Luisa naar het strand ging en zij me vertelde dat ze Bernardo met een meisje voor de deur van Kapital had gezien dat haar bekend voorkwam, was zíj dat! Ik vraag Catarina en Guilherme om eventjes te wachten en wend me tot Luisa voor hulp. In drie woorden leg ik haar uit wat er aan de hand is en ik vraag haar of ze Catarina eventjes wil afleiden, zodat ik kan ingrijpen. Guilherme heeft ook niets gemerkt; hij staat nog steeds geanimeerd te praten met Catarina, dus Luisa voert ze mee naar de andere zaal om drankjes te halen.

Ik loop op Bernardo af die nog steeds in zijn mobiele telefoon staat te praten, en ruk het ding uit zijn hand. Overrompeld staat hij me aan te kijken zonder te reageren. Odete, achterin, keert zich om, en als ze mij ziet met de telefoon in mijn hand, zet ze de hare uit en bergt hem op in haar handtasje terwijl ze met vlugge pas naar het andere uiteinde van de zaal loopt. Ik sta te trillen op mijn benen, er zit een prop in mijn keel en mijn tong voelt aan als deeg, maar ik weet nog net een paar woorden te stamelen die Bernardo doen verbleken van schrik.

'Óf je maakt onmiddellijk een eind aan dat gedoe met die meid, óf ik zweer je dat ik alles aan Catarina vertel en dan zit jij zonder vrouw, zonder kinderen, zonder álles, begrepen, klootzak? Stoppen met die shit of je krijgt met mij te maken.'

Bernardo weet niet waar hij moet kijken. Hij heeft wel door dat hij niet tegen me in hoeft te gaan en dat mijn woorden geen loze bedreigingen zijn. Godvergeten klootzak. Catarina in zak en as vanwege een affaire met onze receptioniste!!! Ik ben diep geschokt. Na een moordende blik ga ik naar de wc om mijn handen onder de kraan te houden en tijd te winnen om te bedenken wat ik moet doen. Nu toont het gezicht in de spiegel wel bezorgdheid en een zekere verwarring. Ik kan hier nog niet weg, ik moet rustig worden.

Ik overweeg om met Odete te gaan praten, maar laat de gedachte snel varen. Ik moet met iemand spreken om geen dwaasheid te begaan. Ik mag de avond niet verpesten voor Catarina, die zo opgewekt lijkt. Ik ben toch ook geen ingehuurde moraalridder die zich zonodig in het leven van haar vrienden moet mengen? Kom niet tussen man en vrouw, luidt het gezegde. Ik herhaal het voor mezelf in een poging mezelf ervan te overtuigen dat de dingen zo moeten zijn en dat het dom van me was om zo op te treden.

Een paar minuten later keer ik iets kalmer terug naar het circus, waar een doorgaande stroom personages en figuranten de piste betreedt. Ik kijk om me heen en herken een vent die ik voor de zomer heb geïnterviewd. Hij staat te praten met de moeder van Gonçalo, de vriend van Francisco waar Luisa overheen is geweest. Verderop staat mijn laatste interview geanimeerd te babbelen met Guilherme en Catarina. Bernardo is verdwenen en Odete eveneens. Mijn instinct zegt me dat ze de scène staan te bespreken die ik heb aangericht. Luisa staat te praten met Gonçalo, die ze waarschijnlijk niet heeft gezien sinds ze genoeg van hem kreeg en die naast haar in de houding staat als een soldaat tegenover de sergeant van het bataljon. Teresa zit in een hoekje met een vriendin te kletsen en João draait als een paling rondjes om een groepje dertigsters. In deze gigantische zaal bevinden zich meer dan vierhonderd personen, en als ik me aan het hoofdrekenen zou zetten om uit te puzzelen wie al met wie heeft geneukt en wie het momenteel met wie doet, dan liepen de lijntjes kriskras in de meest uiteenlopende richtingen. De Portugese samenleving is een kafkaëske mengeling van bedverhalen, geheime affaires en nevenintriges van een niet te filmen, onbeschrijflijke complexiteit. En waar ik het meeste van onder de indruk ben, is dat alles bekend is maar niets wordt onthuld. Bernardo heeft iets met de receptioniste – en wat dan nog? Wie heeft er niet iets? Wie op deze beplante landstrook aan de kust heeft er niet zijn buitenechtelijke verhoudingen, zijn top secret-avontuurtjes, zijn plannetjes op grond van eigen- en bedbelang; de dames uit verveling of uit noodzaak om zichzelf socio-financieel te promoten en de heren omwille van zelfbevestiging, status, viriliteit? In zijn geïnspireerde stukjes uit *Uma campanha alegre* had Eça de Queiroz het al over die neiging van Portugese vrouwen om een minnaar te nemen puur vanwege het plezier om iets te doen te hebben. Honderd jaar later is er niets veranderd, en waarschijnlijk zal er ook nooit iets veranderen. Zo zijn de mensen nu eenmaal, het zit hun in het bloed: verwarring, verraad, intriges en plots. Laat ze allemaal het heen en weer krijgen.

'Wat heb jij? Het lijkt wel of je een geest hebt gezien,' zegt Guilherme, die intussen naar me toe is gekomen en die ik niet eens had gezien, zozeer ben ik in gedachten verzonken. In drie zinnen vertel ik hem wat ik zojuist heb ontdekt.

Guilherme kijkt me aan met een ietwat boosaardig glimlachje.

'En wat dan nog? Een man heeft een verzetje nodig...'

'Wou je een klap in je gezicht?'

'Nee, schoonheid, ik heb het niet over mij, maar over de anderen. Zelfs jij hebt je ex uitgenodigd; waarom heb je zoveel kritiek op anderen?'

Als hij niet ergens een punt had, zou ik hem echt een klap geven, maar in plaats daarvan pak ik zijn handen en zeg tegen hem dat ik heb besloten bij hem thuis te komen logeren, als het mag.

'Het heeft je al met al niet lang gekost om een oplossing te vinden,' stelt hij vast met iets triomfantelijks dat me onwillekeurig irriteert. 'Zo heeft de Baskenman een dak boven zijn hoofd en jij blijft bij mij. Kom, ga nu maar gauw naar Catarina toe, voor dit geval in onze handen ontploft.'

Beetje bij beetje begin ik me te ontspannen. Het is elf uur en sinds het telefoontje van Ricardo zijn er niets dan toestanden geweest. Eerst het gesprek met Guilherme tijdens de autorit, vervolgens de scène met Bernardo en Odete. Ik voel me uitgeput en het geluid van het Orkest van Glitter, Glorie en Geluk dat een door en door versleten hit van Glenn Miller speelt, werkt op mijn zenuwen.

Op de dansvloer bij het orkest valt mijn oog op Mariana, dansend met een blonde man van rond de twee meter met een bril, die er onmiskenbaar uitziet als een buitenlander. Dat moet die vangst zijn waarover ze het vanmiddag had. Onze blikken kruisen elkaar en ze werpt me een stralende glimlach toe. Zou ze verliefd zijn en wou ze het me niet vertellen? Waar heeft ze die noorderling vandaan? De melodie eindigt triomfantelijk en het danspaar komt onze kant uit. Met de licht verdwaasde gelaatsuitdrukking die verliefden vertonen als ze al ver heen zijn, stelt Mariana Georgy Vladisennogwat voor, tweede violist van het Gulbenkian-orkest. En de Slavische toren heeft al net zo'n uitdrukking op zijn gezicht. Muziek roept muziek op. Guilherme knoopt meteen een praatje aan met de tweede violist, wat mij de kans geeft om Mariana te vragen wat hier in godsnaam aan de hand is. Ze heeft hem leren kennen tijdens de vakantie; hij had niets meer van zich laten horen, tot hij haar twee weken geleden opbelde en ze samen begonnen uit te gaan. Ze vraagt me hoe het met mij en Guilherme gaat en ik vertel haar over het telefoontje van Ricardo, en hoe Guilherme reageerde.

'Hij is echt slim,' zegt ze met een glimlach. 'Als ik jou was zou ik niet verknallen wat je hebt vanwege die stomme Bask.'

'Natuurlijk niet. Hij mag bij mij thuis logeren en in die dagen slaap ik bij Guilherme thuis.'

Iemand legt zijn hand op mijn linkerschouder. Instinctief herkent mijn neus het parfum.

'Hallo, Madalena. Hoe gaat het met je?'

Niet te geloven. Francisco is ook hier. Natuurlijk, ik heb hem zelf de uitnodiging gestuurd. Ik had hem ingevoerd in het adressenbestand en was helemaal vergeten hem eruit te halen. Stom, stom, stom. Vandaag is niet mijn geluksdag.

Ik begroet hem droogjes en maak me op om hem te lozen als Guilherme en hij elkaar formeel en omstandig de hand schudden. Meteen daarop verwijdert Francisco zich om Gonçalo en Luisa te gaan begroeten.

'Ken jij die vent?'

'Ja. Hij werkt bij ons op het ministerie.'

'Als wat dan?'

'Hij zit bij de SIS.'

Nee toch. Dit is toch niet mogelijk. Guilherme en Francisco kennen elkaar. Francisco werkt voor de inlichtingendienst. En ik heb een grote o op mijn voorhoofd. Van Oen. Van Onnozele hals. Van Ongelooflijk achterlijke stomkop.

'Weet je dat zeker?'

'Natuurlijk. Hij is van de afdeling internationale inlichtingen.'

'Dat kan niet!'

'Hoezo kan dat niet?'

'Omdat hij me altijd heeft gezegd dat hij met zijn vader bij een marmerbedrijf in Estremoz werkt...'

'Misschien is dat ook zo. Die lui hebben altijd een officiële activiteit. Het moet niet bekend raken dat ze van de geheime dienst zijn, anders zou er niets geheims aan zijn, snap je? Ik had het je niet eens moeten vertellen, maar het ontsnapte me.

Dat is een van de redenen waarom ik het nooit tot ambassadeur zal schoppen,' besluit hij met een komisch gezicht.

'Maar... maar dat is de Francisco over wie ik je heb verteld, met wie ik verkering heb gehad na Ricardo!...'

Guilherme is verbaasd, maar niet zozeer als ik.

'Heb jij verkering gehad met die gozer? Maar die vent lijkt me zo irritant! Zo'n over het paard getild onderkruipseltje, waar zat je verstand?'

Ik ben mijn tekst kwijt. Sterker, ik ben mijn stem kwijt. Ik kan niet geloven wat ik zojuist heb gehoord. Francisco is weggegaan met Luisa, ik zie ze in de richting van de deur lopen.

'Dit is te veel voor één avond,' mompel ik helemaal van mijn apropos. Laten we naar huis gaan, goed?'

'Zoals je wilt, lieverd.'

De autoweg lijkt wel een landingsbaan met de lange rij lichten en de onderbroken witte streep tot op de millimeter precies op de grond geschilderd. In de auto heerst stilte, een vreselijke, onbehaaglijke, verpletterende stilte. Guilherme rijdt kalm, alsof er niets aan de hand is. Ik heb een knallende hoofdpijn, zo een waar je voorhoofd van gaat kloppen en je hersens door je ogen eruit dreigen te komen. Ik voel mijn plakkerige handen en mijn ijzige voeten. Ik heb zin om te gaan nagelbijten, maar de smetteloze glans van mijn nagellak weerhoudt me er net op tijd van het noeste werk van de manicure te bederven. Bernardo met Odete. En ik al die maanden met mijn neus erbovenop zonder ooit iets te hebben gemerkt. En Francisco die voor de sis werkt... nee, dat kan niet waar zijn.

'Ik kan niet geloven dat die vent me al die tijd heeft misleid,' gooi ik er ten slotte uit.

'Niemand heeft je gedwongen om met hem naar bed te gaan.'

Óf hij is jaloers, óf we hebben hier een nieuw, minder sympathiek trekje van onze ideale man.

'Me dunkt dat jij daar niets mee te maken hebt.'

'Nee, maar ik ben niet bepaald onder de indruk van je smaak. Die vent is een arrogante kwast!'

'Dat is hij. Maar ik had zin om met hem naar bed te gaan en ik zou het prettig vinden als je je kritiek voor je hield.'

'Jij begon dit gesprek,' besluit hij met ingehouden triomf.

Ik doe geen mond meer open tot we bij zijn deur aankomen. Als ik hem zijn stuur zie draaien om de garage binnen te rijden, vraag ik of hij me naar huis wil brengen. Hij probeert me nog over te halen om te blijven, maar zonder succes.

'Breng me naar huis of ik bel een taxi. Ik wil alleen zijn om mijn hoofd op orde te krijgen en niet met iemand te hoeven praten.'

Guilherme zet de motor af, doet de lichten uit en slaat zijn arm om me heen. Dit is het eerste gebaar van genegenheid dat hij maakt sinds hij me thuis kwam ophalen, en nu voel ik dat die onverschilligheid me nog kwetsbaarder heeft gemaakt.

'Hoor eens, je moet niet denken dat het aan jou ligt dat je niets hebt doorgehad. Francisco werkt voor de inlichtingendienst en niemand wordt geacht daarvan te weten. Zelfs zijn ouders hebben waarschijnlijk geen idee, snap je? Anders kon hij er net zo goed niet werken. En wat betreft je vriend Bernardo en die meid, meng je daar niet in. Help liever je vriendin Catarina, een schat van een mens, en blijf erbuiten. Ik heb al meerdere vriendschappen zien stuklopen doordat iemand een echtpaar wilde helpen met het oplossen van hun problemen. Kom nooit tussen man en vrouw, heb je die uitdrukking nooit gehoord? Toe nu, niet zo somber... Misschien is het wel goed dat je erachter komt hoe de mensen zijn...'

Zijn vaderlijke toon troost en ergert me tegelijkertijd.

'Je praat tegen me alsof ik een naïeve domme gans ben.'

'Helemaal niet! Zie je niet dat zulke dingen iedereen kunnen overkomen? Ik weet van zoveel kwesties die volkomen langs de mensen heen gingen die er het dichtst bij betrokken waren. Zo is het leven nu eenmaal, vaak zie je niet wat er vlak onder je neus gebeurt. Maar dat maakt je nog niet tot een naïeveling, laat staan een domme gans.'

Ik bezwijk bijna voor zijn zalvende woorden en aarzel of ik mee naar boven zal gaan.

'Breng me maar naar huis, lieverd. Het ligt niet aan jou, maar ik wil echt alleen zijn en uitrusten vannacht.'

Guilherme dringt niet aan. Van zijn huis naar het mijne is minder dan vijf minuten, en ik neem afscheid met een tedere kus. Langzaam loop ik de trap op, na mijn schoenen uitgetrokken te hebben. Telkens wanneer ik hoog op de stelten uitga, krijg ik spijt. Ik ga naar binnen zonder lawaai te maken en sluit voorzichtig de deur om de buren niet wakker te maken.

Ik ga naar de badkamer en begin het ritueel van de ijdelheid: reinigingsmelk, tonic, vochtinbrengende crème... De tranen stromen me over de wangen en vermengen zich met de crèmes. Ik voel me triest, vernederd, krachteloos. Ik voel me stom, achterlijk, als een ezel met dubbele oogkleppen op. Mensen zijn maar o, zo zelden wat ze lijken, ik heb het altijd geweten, maar waarom blijf ik dan steeds het beste van ze hopen en ben ik nooit voorbereid op het ergste? Teleurstellingen in de menselijke soort maken me altijd diep terneergeslagen. En toch, als ik mijn hand in eigen boezem steek, heb ik zelf ook al velen teleurgesteld...

Ik kan maar het beste een pilletje nemen en gaan slapen. Misschien ziet het er morgen, na een goede nachtrust, een lekkere kop koffie met melk en een douche, niet meer zo zwart uit. Er zijn maar weinig dingen waartegen slaap, een goed maal en een lekker bad niet helpen.

VI

Ricardo komt donderdag aan, overmorgen. Toen hij belde om zijn komst te bevestigen heb ik heel onverschillig tegen hem gedaan. Volgens mij vond hij het nogal vreemd, maar trots als hij is, wilde hij me geen vragen stellen. Hij heeft geen idee dat ik niet hier in huis blijf. Ik heb alles al gepland: ik ga hem afhalen op het vliegveld, neem hem mee uit eten en vervolgens drop ik hem thuis. Ik geef hem een sleutel en ga zelfs niet mee naar boven. Guilherme vond het een perfect plan en gaf niet eens commentaar op het etentje. Die avond profiteert hij van de gelegenheid om uit eten te gaan met Vera, want hij zegt, en terecht, dat hij wat tijd alleen nodig heeft om zijn dochter het hof te maken. Ik verlaat de redactie en ga naar huis om de *doce de leite* op te halen die Virginia voor me heeft klaargezet om mee te nemen naar Teresa's verjaardagsfeestje. Zo gaat het altijd: de jarige zorgt voor de entrees, cocktails, hapjes en het hoofdgerecht en de meute houdt een soort toetjeswedstrijd waar iedereen aan meedoet. Luisa bestelt bij haar moeder een onvergetelijke *bola de bolacha*, Catarina leeft zich uit op indrukwekkende, kleurrijke bavaroises, Mariana maakt haar onoverwinnelijke bramentaart en ik maak me ervan af door Virginia voor me aan het werk te zetten. Het zijn altijd geweldige etentjes, waarbij Teresa haar kwaliteiten als gastvrouw tot voorbij het uiterste voert en zich uitput in verfijnde attenties waarbij alle aanwezigen zich prettig voelen. Gewoonlijk raken we 'm allemaal flink en als we geluk hebben denkt Luisa eraan een kant-en-klare joint mee te brengen die we gezamenlijk oproken zonder dat Catarina het ziet.

Ik tref Guilherme in Amoreiras om het verjaardagscadeautje te kopen. Ik kan niks verzinnen, maar we lopen een boekhandel binnen en hij koopt zonder aarzelen een boek van Isabel Allende: probleem opgelost. Ik ben een beetje zenuwachtig voor de komst van Ricardo en Guilherme heeft dat door. Daarom wil hij me tot in het extreme verwennen zodat er geen twijfel in me opkomt. In de afgelopen dagen zijn we driemaal naar de bioscoop geweest, heeft hij me uit eten genomen, zijn huis volgezet met bloemen en me twee verzamelalbums van Billie Holiday cadeau gedaan. We zitten midden in de wittebroodsweken en ik voel hoe ik steeds meer van hem hou, hoewel onze bedrelatie nou niet mijn ideaal is. Maar misschien zijn stabiele, volwassen relaties gewoon zo. Minder gekte en meer zekerheid. Minder avontuur en meer gemak. En gemak is al een belangrijke waarde aan het worden.

Om negen uur komen we als laatsten aan bij het huis van Teresa. João doet open met zijn onweerstaanbare glimlach van de eeuwige levensgenieter en Teresa roept me uit de keuken toe om de gecondenseerde melk in de ijskast te komen zetten. Daar staat Luisa met een schort voor een paar goddelijk uitziende patrijzen te kruiden en Teresa zet een schotel rozijnenrijst in de oven om uit te dampen, terwijl Mariana net de dressing door een gigantische kleurige salade heeft gemengd waar van alles in zit: asperges, sla, tomaat, maïs, noten, verse kaas en andere dingen die mijn lekenoog niet weet te interpreteren. De tafel is gedekt en ieder gaat op zijn plaats zitten, in kleine lettertjes aangegeven op de zilveren naambordjes. We vragen Mariana hoe het met haar muzikale romance gaat. Met een dromerige, verrukte glimlach geeft ze antwoord. Ik heb haar in lange tijd niet zo mooi en stralend gezien. Ook Luisa ziet er niet slecht uit, in een korte rok en een zwart coltruitje met korte mouwen dat haar fraaie vormen goed laat uitkomen. Teresa is in het zwart en ziet er als altijd niet goed en niet slecht uit, integendeel. De mannen zitten geanimeerd te praten in de huiskamer terwijl de bezige bijtjes het eten binnenbrengen. Ten slotte nemen we plaats, allemaal al aardig aangeschoten van de champagne, die altijd goed is voor het nodige geratel en gezwatel. Georgy neemt iedereen voor zich in met zijn primitief, gebroken Portugees, niet eens zo slecht voor iemand die pas sinds drie maanden in het land is. Teresa maakt van de gelegenheid gebruik om op te merken dat Luisa alleen is gekomen, maar die laat zich niet op haar kop zitten en verklaart voor wie het maar wil horen dat ze omgang heeft met een vriend van Francisco. 'Wéér een ander,' merkt Catarina geshockeerd op. 'Kind toch, een dezer dagen heb je het volledige voetbalelftal aan je lijf hangen,' zegt Bernardo. 'Als ik jou was hield ik mijn mond maar,' antwoord ik bits. Bernardo kijkt me aan met een beschaamd glimlachje en stort zich op de patrijs. Dan legt Luisa uit dat de persoon in kwestie nog wel een neef van Francisco is, dat ze elkaar hebben leren kennen in Kapital en dat de twee later langskomen om een glaasje mee te drinken. Guilhermes gezicht betrekt bij dit nieuws, maar hij verbergt het goed. Ik heb ook geen zin om Francisco te zien, ook al omdat het me heel moeilijk zal vallen me in te houden en hem niet recht in zijn gezicht te zeggen wat een klootzak en een eikel ik hem vind nu ik erachter ben gekomen wat hij voor zijn brood doet, maar Guilherme, die tussen de regels door kan lezen, fluistert me toe dat ik me moet inhouden als hij komt, anders wordt hij de dupe. Teresa vist naar complimentjes voor het diner terwijl Bernardo, Guilherme en João de fysieke attributen van Pamela Anderson bespreken, onverschillig voor onze kritische kanttekeningen over het aantal plastische chirurgieën, het rare gevoel dat het moet geven om een met siliconen geïnjecteerde mond te kussen en andere details waarmee we ze proberen te shockeren. Zonder succes. Guilherme demonstreert zijn diplomatieke vaardigheden en gooit wat water op het vuur met het argument: 'Ze is nou ook weer niet zo'n moordwijf als jullie beweren', maar João zegt resoluut: 'Nou, als dat geen moordwijf is, zeg jij me dan eens wie dan wel.'

Daar valt niets tegen in te brengen, en om de gemoederen te bedaren leg ik Georgy, die het niet kan volgen, uit waar het gesprek over gaat. Hij schudt zijn hoofd en maakt een handgebaar waarmee hij zijn afkeer van de actrice uitdrukt, en oogst onmiddellijk bijval bij de vrouwen in het gezelschap. 'Wat een leileke frou, nies aan, nies aan!'

Mariana rekt haar hals en trekt een verliefd gezicht.

'Zien jullie? Dat is nou een van de redenen waarom ik meer van buitenlanders hou! Die hebben smaak.'

Maar Bernardo en João zijn het er niet mee eens en leggen de Slaviër in een armzalig maar heftig Engels uit dat de vrouw een ware seksgodin is. João stelt nog voor om hem wat beelden uit de tv-serie te laten zien, maar hij deinst onmiddellijk terug voor de dreigende blik van Teresa.

'*Maybe later, maybe later*,' zegt Guilherme matigend.

En het gesprek gaat over op een minder explosief onderwerp.

Rond elf uur komt Francisco met die neef van hem, Eduardo, en een vriendin, Ana Paula, die hij met veel flair voorstelt aan de aanwezigen. Hij werpt me een triomfantelijke glimlach toe. Hij is er zeker van overtuigd me op stang te kunnen jagen met de aanwezigheid van zijn vriendin; hij weet nog niet dat ík degene ben die hém gaat stangen als ik hem vertel wie er hier nu wel in aantocht is.

Korte tijd later, terwijl Luisa zit te flirten met Eduardo, die als een soldaatje naast haar in de houding staat (ik weet niet wat ze met ze doet, maar in haar aanwezigheid lijken mannen altijd net circushondjes), ziet Francisco dat Guilherme met João en Bernardo voor de tv zit om Pamela aan Georgy te laten zien, en komt hij een praatje met me maken.

'En, weduwe, is de rouw al voorbij?'

'De dode is in aantocht,' antwoord ik hem stikkend van de lach.

'Wat??'

'Ik zei, de dode is in aantocht, hij komt een paar dagen hier. Maar als je het echt wilt weten, ik heb de rouw al afgelegd. Guilherme heeft me ervanaf geholpen, en nu gaat het me uitstekend.'

'Prettig om te horen, maar ik dacht dat die missie aan mij was toegevallen.'

'Welnee, jij was gewoon een therapeutische relatie.'

Francisco loopt groen aan, maar hij laat zich niet kennen en besluit van onderwerp te veranderen.

'En wat komt die gozer hier doen?'

'Weet ik veel, hij zei dat hij kwam om voor een krant in Pamplona een of ander congres van Latijns-Amerikaanse landen te verslaan.'

Francisco staart me met een vreemd gezicht aan.

'En wanneer komt hij aan, waar logeert hij?'

'In mijn huis.'

Francisco raakt steeds meer in de war.

'Maar hoe dan? En Guilherme?'

'Híj slaapt bij mij thuis maar ik niet, snap je? Ik ga naar Guilherme.'

'Oké. Dus dat tussen jou en Guilherme is serieus...'

'Wat heb jij daarmee te maken?' antwoord ik bruusk.

'Niets, niets, ik wil alleen weten of het goed met je gaat, begin me niet meteen af te katten, ik heb je nooit iets gedaan.'

Ik neem een slok wijn en haal diep adem om hem niet in het gezicht te smijten dat ik weet dat hij voor de SIS werkt, dat ik het schandalig vind dat we vier maanden een relatie hebben gehad en hij me nooit iets heeft gezegd, en dat ik alle vertrouwen in hem heb verloren, vooral na al zijn gezaag en gepreek omdat ik Ricardo's brief had meegenomen naar Kaapverdië. Ik besluit ook van onderwerp te veranderen.

'Zeg eens, heb je iets met die Ana Paula?'

'Nee, ze is gewoon een vriendin van me.'

'Ah.'

'Serieus! Ik ben al jaren met haar bevriend en...'

'Maar je hebt me nooit over haar verteld...'

'Er zijn nog wel meer dingen die ik je niet heb verteld,' merkt hij op met een sarrend glimlachje.

'Vlieg toch op, man.'

Ik keer hem de rug toe. Ik heb Guilherme beloofd hem niet te verraden, en bovendien is kijken naar Pamela Anderson op de tv nog beter dan praten over niks met hém.

Teresa roept allen aan tafel voor het ritueel van de verjaardagstaart; het licht gaat even uit en we heffen het gebruikelijke gezang aan alsof we allemaal vijf zijn en een kinderfeestje hebben in de dierentuin. Na het uitblazen van de kaarsjes begint het uitdelen van de cadeautjes en Teresa geniet er met volle teugen van. Ik neem de kans waar om Guilherme te verzoeken ervandoor te gaan en neem afscheid van de gastheer en -vrouw alvorens stilletjes weg te glippen.

We gaan terug naar huis en Guilherme is helemaal in de stemming. De champagne is hem naar het hoofd gestegen en we rollen een blowtje voor we naar bed gaan. We vrijen uitbundig en heel geïnspireerd, veel meer dan gewoonlijk. Misschien beginnen we nu pas aan elkaar te wennen. Er zijn dingen die alleen de tijd geeft. En neemt. Soms moest ik, na met Francisco te hebben gevreeën, denken aan Ricardo. Maar met Guilherme niet. Ik herinner me niets of niemand. Ik blijf stil liggen terwijl we over de meest intieme dingen praten, nog intiemer dan onze in elkaar verstrengelde lichamen. En de angsten, trauma's en geheime verlangens komen boven, en juist op dat punt begrijpen we elkaar altijd, vaak met een half woord. Soms gaat ons gesprek langer door dan wenselijk is in verband met onze kostelijke slaapuren, maar dat maakt ons nooit iets uit. Want het is op die momenten van diepe intimiteit en *pillow talk* dat we ons het dichtst bij elkaar voelen, het innigst bemind en het meest geaccepteerd door elkaar. Ten slotte gaan we slapen met het verlangen om opnieuw te vrijen, maar dat doen we niet altijd, en getroost vallen we dan in slaap, elkaar vasthoudend, omhuld door de smaak van de eeuwigheid. Ik weet dat Ricardo in aantocht is, maar ik ben niet meer bang. Of weifelachtig. Of ook maar een beetje onzeker. Ik weet dat hij niets meer voor me betekent, dat hij deel is van mijn verleden, een verleden dat voorbij is en wordt vervoegd in de voltooid verleden tijd. Misschien heb ik niet genoeg kracht gehad om hem zelf uit de weg te ruimen; Guilherme heeft me een fundamenteel steuntje in de rug gegeven. Maar ik heb de pagina omgeslagen. Ricardo was een man in mijn leven, hij was noch is dé man van mijn leven. En dat ga ik hem vertellen op de avond dat we gaan eten, misschien wel de enige avond waarop ik hem de komende tijd zal zien.

Vliegveld Portela blijft me verbazen; het is al twintig jaar lang in renovatie en zo te zien komt het nooit af. Ik ga naar de aankomsthal en wacht geduldig op Ricardo's vlucht. Mijn hart is kalm, het klopt regelmatig, alsof de nadering van zijn aanwezigheid totaal niet relevant is.

Daar komt hij aan, tas op zijn rug, met zijn verstrooide, slordige uiterlijk, bezorgde en onrustige ogen, op zoek naar mijn gezicht in de kleine menigte die op de reizigers staat te wachten. In plaats van in zijn richting te lopen, laat ik hem naar mij toe komen. Hij glimlacht timide en groet me met een kus op mijn wang die ik geen omhelzing laat worden. Ik begin een vriendelijke, ontspannen conversatie. Ik vertel hem over de party van het tijdschrift en het verjaardagsdiner van Teresa, waarbij ik me een beetje moet inhouden om Guilherme onvermeld te laten. Ik leg hem liever alles uit tijdens het eten. Aangezien het al halfnegen is gaan we direct naar het restaurant, zijn favoriet, een kroegje met zes tafels in Bairro Alto, waar je de beste *pataniscas* ter wereld krijgt. We bestellen een fles witte wijn en doen een poging een gesprek aan te knopen, maar Ricardo is net zo afwezig als ik en de draad van het gesprek raakt verschillende keren zoek, tot ik al mijn moed verzamel en hem uitleg dat ik een vriendje heb, bij wie ik blijf slapen zolang hij in Lissabon is. Ik ken die ondoordringbare uitdrukking van hem, van iemand die niet blij is met wat hij hoort. Zijn gezicht betrekt en ineens lijkt hij tien jaar ouder. Een onverwachtse huivering gaat langs mijn ruggengraat. Ik ken dat gezicht maar al te goed, die gefronste wenkbrauwen, die nukkige gezichtsuitdrukking die uren kan aanhouden. Zo heb ik vele maanden met hem samengeleefd, aan het eind van onze relatie. Ik zou niet eens in staat zijn om weer toenadering te zoeken. Ik hou van hem zoals je van iemand houdt die je geliefde is geweest, maar die weg is uit je leven. Ik moest hem opnieuw zien, hem opnieuw in mijn buurt hebben om zeker te weten wat eigenlijk al zo duidelijk was: Ricardo en ik zijn altijd een onmogelijke combinatie geweest en dat zal ook altijd zo blijven.

Beetje bij beetje trekt hij bij en hij vertelt me over de gebeurtenissen op de faculteit en de uitnodiging van de krant om mee te werken aan een paar reportages. Ik vraag hem wat er op de top van Latijns-Amerikaanse landen wordt besproken, maar hij geeft nogal vage antwoorden. Hij heeft zijn lesje nog niet voorbereid; hij zal zich mij wel herinneren als ik op pad ging om deze of gene te interviewen zonder me behoorlijk te hebben voorbereid. Ik vraag hem of hij een recorder heeft of de mijne wil lenen, maar nee, hij zegt dat hij aantekeningen maakt en de rest op het gehoor doet.

Ik laat hem thuis achter, na de slaapbank in de huiskamer voor hem te hebben uitgeklapt en hem de sleutel te hebben gegeven, en ik neem afscheid met een sereniteit waarin ik mezelf nauwelijks herken. Ik voel dat ik ben veranderd, en dat maakt me zelfverzekerd. Ricardo werpt me nog een blik toe van een jachthond die ervan baalt dat hij het konijntje heeft laten ontkomen, maar het is te laat, veel te laat voor twijfel. Ik ga weg na hem een vriendschappelijke nachtkus te hebben gegeven, en rijd langzaam en in stilte naar Guilhermes huis. Als ik binnenkom zit hij in een boxershort en een versleten T-shirt in de woonkamer te lezen en naar Billie te luisteren. Hij kijkt op, legt het boek op zijn knieën en strekt zijn handen naar me uit.

'En, is alles goed gegaan?'

'Heel goed. We zijn iets gaan eten en daarna heb ik hem in het huis gelaten.'

'En, was je onder de indruk?'

Ik ga op de grond zitten en krul me op tussen zijn blote benen.

'Ik hou zo van jou...'

VII

Ricardo is al drie dagen hier, maar we hebben elkaar niet meer gesproken. Ik heb hem gezegd dat hij me op de redactie kon bellen, wat hetzelfde is als een paard vragen te blaffen. Hij heeft nooit graag naar de redactie gebeld; zijn Portugees is niet best en hij schaamt zich voor zijn accent en zijn geblunder in de bloemrijke taal van Camões. Misschien verwachtte hij dat ik zou bellen, maar in feite had ik daar niet eens zin in. Waarom? We hebben elkaar niets meer te zeggen. Onze relatie is meer dan een jaar geleden beëindigd toen hij wegging, en als ik haar steeds weer opbouwde en afbrak in mijn hoofd, was dat meer omdat ik die zware nederlaag niet kon verkroppen dan om enige andere reden. Of misschien voelde ik me te alleen om de eenzaamheid aan te kunnen en klampte ik me vast aan mijn herinneringen om me te troosten met het onmogelijke. Maar dat is allemaal afgelopen, en nu begrijp ik Luisa's kritiek dat ik zo aan het verleden vastzat en het heden voorbij liet gaan.

Luisa belt me klokslag één uur om te gaan lunchen. Het is zo'n zonnige oktoberdag en de platanen van Campo de Ourique bedekken de trottoirs met een zacht, krakend tapijt waar ik met enorm plezier op stap. We hebben afgesproken in de koffiebar op de hoek waar je mini-pizza's en verse vruchtensappen hebt. Als door een wonder zien we kans een tafeltje in een hoekje te bemachtigen en opnieuw vertelt Luisa me over haar nieuwe afleiding, die Eduardo, neef van Francisco, over wie ze nonchalant en met enige sympathie spreekt.

'Hij is best tof. Weet je wel, het soort ongecompliceerde jongen voor wie altijd alles oké is. Laatst nog liet ik hem meer dan een halfuur wachten in Docas, en toen ik aankwam was hij een groepje vrienden tegengekomen en zat hij al met hen aan tafel een biertje te drinken. Hij zei er niets van en lachte me breed toe, alsof ik op tijd was. Ik stond paf, maar vond het perfect. Ik dacht dat dat soort jongens niet meer bestond...'

'Dat is alleen zolang er nog geen intimiteit en gewenning is. Pas nou maar op dat je hem niet weer in huis haalt, zoals gewoonlijk.'

'Geen denken aan. Zo stom ben ik niet meer. Hij mag best blijven slapen als hij wil, maar mijn huis is van mij en dat is dat. Hooguit mag hij een onderbroek en een tandenborstel laten liggen.'

Dona Hilda, de eigenares van de koffiebar, zet de radio harder om een bericht te horen dat haar aandacht heeft getrokken.

'Hoor toch eens! Ik geloof dat ze een of andere minister hebben gedood bij die top van weet ik wat voor landen,' zegt ze verbijsterd, terwijl ze haar handen aan haar schort afveegt.

We geloven onze oren niet. Een aanslag in Portugal, een land waar praktisch niets voorvalt, laat staan dit soort dingen, daar zijn we totaal niet op ingesteld. Dona Hilda zet de tv aan en de *telenovela* is bezig, maar een paar minuten later verschijnt het openingsbeeld van Speciale Nieuwsberichten:

We onderbreken de uitzending om te berichten dat vanmiddag rond kwart voor twee de Spaanse minister van Ontwikkelingssamenwerking, Javier Segovia, het slachtoffer is geworden van een aanslag voor de ingang van het hotel waar vandaag de top van Latijns-Amerikaanse landen is begonnen. Javier Segovia werd door een schot getroffen op het moment dat hij samen met andere regeringsfunctionarissen naar buiten kwam. Er vielen niet meer gewonden.

De Spaanse regeringsvertegenwoordiger werd onmiddellijk overgebracht naar het São-Joséziekenhuis, waar hij direct naar de intensivecare ging. Zijn toestand wordt ernstig genoemd, hij bevindt zich tussen leven en dood. De politie heeft reeds een onderzoekscommissie ingesteld voor dit ernstige incident. De terroristische actie is nog niet opgeeist, maar alle verdenking richt zich op de ETA etc. etc...

De camera is live ter plaatse en filmt de deur van het hotel, terwijl er foto's van het slachtoffer worden getoond, afgewisseld met beelden van de politie die de menigte verspreidt en van de onvermijdelijke bloedvlekken, die het hotel duizenden contos aan geannuleerde reserveringen en vervanging van de stoffering gaan kosten. Plotseling raak ik in paniek. Ricardo was daar! En als er meer gewonden zijn? En als er nog iemand geraakt is en ze daarover niet hebben bericht? Hij zal vast hebben geprobeerd het slachtoffer een paar vragen te stellen voor zijn stuk.

'Luisa, Ricardo is daar.'

'Waar daar?'

'Bij die klotetop, snap dat dan. Ricardo is daar! Misschien is hem iets overkomen!'

'Doe niet zo paranoïde, Madalena. Ze zeiden dat er geen andere slachtoffers waren.'

'Wat weten zij nou? Dona Hilda, zet de radio alstublieft op de nieuwszender om te horen wat er aan de hand is.'

Dona Hilda is zenuwachtig, ze begint aan de knop te draaien maar krijgt hem niet goed en ik schiet als een pijl achter de bar om hem af te stemmen op 89.5:

De top van Latijns-Amerikaanse landen werd vandaag
overschaduwd door een terroristische aanslag op de
Spaanse regeringsvertegenwoordiger, de minister van Ontwikkelingssamenwerking Javier Segovia, die vanmiddag

zijn rede zou houden voor de top. Javier Segovia werd getroffen door een schot uit een precisiegeweer. Aangenomen wordt dat het schot op ongeveer honderd meter afstand werd afgevuurd vanaf een van de daken rond de ingang van het hotel. De staatsman bevindt zich op de afdeling intensivecare van het São-Joséziekenhuis. We hebben nog geen nieuws over zijn gezondheidstoestand. Bekend is alleen dat zijn toestand op het moment van zijn opname op deze ziekenhuisafdeling zorgwekkend was. Javier Segovia werd bij de ingang van het hotel geraakt in zijn onderbuik toen hij net naar buiten kwam, hetgeen de politie voor een raadsel stelt wat betreft de plek waar het schot vandaan kwam. Men neemt aan dat het weer een terroristische actie van de ETA betreft, aangezien Javier Segovia in de jaren tachtig betrokken was bij het GAL-proces. Er wordt op gewezen dat Segovia ook de sterke man was achter de binnenlandse politiek van de premier en onlangs door koning Juan Carlos werd onderscheiden...

'Zie je wel, er waren verder geen gewonden, anders hadden die lui wel iets gezegd,' stelt Luisa vast.

'Ik weet niet, ik heb een slecht voorgevoel...'

'Doe niet zo stom. Misschien heeft hij er zelfs voordeel bij. Zo heeft hij meer materiaal en maakt hij de reportage van zijn leven.'

Ik schrik er gewoon van hoe Luisa in iedere willekeurige situatie haar hoofd koel en zakelijk houdt.

'Jíj zou daar moeten zijn. Dan zou je een reportage maken en die aan de *Expresso* en de *Público* verkopen, en dan kon je weg bij dat ouwetaartenblaadje.'

'Misschien heb je gelijk, maar ik heb toch ook weer niet zoveel op met aanslagen, politiek en dat soort dingen.'

Ik keer terug naar de redactie, waar het gesprek nergens anders over gaat. Zelfs Odete, die me de laatste dagen de hele tijd uit de weg gaat, vergeet ons akkefietje en geeft met een versla-gen gezicht commentaar op de aanslag. Iedereen staat ver-steld over de gebeurtenissen. Op radio en televisie passeert de ene na de andere verklaring van publieke personen uit allerlei sectoren die de terroristische daad veroordelen. Ten slotte verschijnt het hoofd van het medische team voor het bataljon camera's en microfoons om mee te delen dat de toestand van Javier Segovia kritiek maar stabiel is en het volkomen onmo-gelijk is om voorspellingen te doen over de ontwikkeling van zijn gezondheidstoestand. Paulo, die niet minder geïnteres-seerd zou kunnen zijn in politiek en andere onderwerpen zonder glamour, Ferrari's of juwelen, zet ons allemaal aan het werk.

Ik bel onophoudelijk naar huis in de hoop dat Ricardo op-neemt, maar zonder succes. Aan het eind van de middag ga ik erheen, maar ik zie geen spoor van hem. De sleutels die ik hem heb geleend liggen op het tafeltje bij de voordeur en de bedbank is opgeklapt en opgeruimd. Dat verbaast me niet, want ik heb Virginia geen vrij gegeven op de dagen dat Ricar-do daar zou zijn, maar ik zie zijn spullen nergens. Niet zijn tas, niet zijn scheerapparaat, niet zijn tandenborstel. Het is of hij hier nooit is geweest. En het is al acht uur in de avond. Ik bel Guilherme, die nog op het ministerie is, en vertel hem over de mysterieuze verdwijning van Ricardo. Guilherme is er in minder dan tien minuten en zoekt samen met mij naar een blijk van de aanwezigheid van Ricardo, maar we vinden niets.

'Er is iets aan dit verhaal wat niet klopt,' zegt hij met een ernstig gezicht.

Ik open de ijskast om te zien of hij de yoghurtjes heeft ge-geten en wat restjes die ik had achtergelaten alvorens naar Guilhermes huis te gaan, maar niets. Alles is intact. Ik begin me af te vragen of hij hier wel heeft geslapen, de nacht dat ik hem achterliet. Ik bel Virginia, die me vertelt dat er niemand thuis was toen ze op vrijdag kwam, maar dat het bed in de woonkamer onopgemaakt was en de badkamer moest worden opgeruimd. Hij heeft hier in ieder geval die nacht geslapen en is in het weekend vertrokken. Daarom heeft hij niet gebeld. Voor we weggaan maak ik een laatste ronde door het huis. Onder het toetsenbord vind ik het vliegticket met een briefje erbij. Ricardo bedankt me voor het logeren en zegt dat hij eerder terug moest naar Spanje.

'Als hij het ticket heeft achtergelaten is hij dus per auto teruggegaan.'

'Maar waarom zou hij per auto teruggaan als de krant een retourticket voor hem heeft betaald?'

'Omdat hij niet gesnapt wilde worden.'

Guilherme heeft een raadselachtige, ondoorgrondelijke uitdrukking op zijn gezicht. Hij neemt plaats en vraagt me naast hem te komen zitten.

'Volgens mij is jouw Baskische vriendje betrokken bij de aanslag.'

Ik voel hoe het ritme van mijn hartslag in minder dan een seconde verdubbelt.

'Ik kan niet geloven wat je daar zegt! Ricardo is de meest vreedzame persoon ter wereld! Ik heb met hem samengewoond en nooit, nooit...'

Ik houd stil want ik weet niet eens wat ik zeg. Hoe kan ik weten hoe hij was als hij altijd zo stil was, zo weinig over zichzelf en zijn familie sprak, als hij me nooit heeft uitgenodigd om naar Pamplona te gaan en zijn wereld te leren kennen?

'Luister naar me... waar heb je Francisco leren kennen?'

'Wat heeft Francisco hiermee te maken?'

'Geef eens antwoord: waar heb je hem leren kennen?'

'In T-Club, op een avond toen ik uit was met Luisa.'

'En wist hij dat Ricardo je vriend was geweest?'

'Natuurlijk! Toen ik hem leerde kennen, had ik nog foto's van mij en Ricardo hier in de huiskamer staan. De eerste keer dat Francisco hier in huis kwam, vroeg hij me wie hij was, en ik vertelde hem dat we hadden samengewoond en dat hij was teruggekeerd naar Pamplona.'

'En heb je nooit iets vreemds opgemerkt aan Francisco?'

'Hoezo, niets vreemds?'

'Heeft hij je nooit vragen gesteld over Ricardo, of je een adres van hem had, of jullie elkaar nog schreven of belden?'

'Nee, nooit. Daarna kregen we een relatie en hebben we het er nooit meer over gehad. Alleen toen het uitging, want Ricardo had me geschreven en ik had die brief meegenomen op vakantie, toen ik met Francisco naar Kaapverdië ging. Hij vond de brief en was razend. We kregen ruzie en maakten het uit bij aankomst in Lissabon.'

'Aha...'

Guilherme zwijgt een paar minuten lang.

'Heb je die brief? Heb je de envelop bewaard?'

Ik ga naar het bovenste gedeelte van de garderobe waar ik de schoenendozen met alle herinneringen aan mijn vroegere vriendjes bewaar, ieder in zijn eigen doos. Daar staat ook de doos van Guilherme met onze brieven van meer dan tien jaar geleden, maar ik bedwing me en laat hem staan. Dit is niet het moment om het hem te laten zien, misschien later. Bovendien zou het Guilherme kunnen irriteren om zichzelf door een doosje vertegenwoordigd te zien, naast Ricardo, Francisco en nog wat vroegere vriendjes...

'Hier is hij.'

'Dat dacht ik al. Geen afzender.'

'Klopt. Ik zag het meteen toen ik hem kreeg, maar aangezien Ricardo nogal verstrooid is...'

'Verstrooid, dat zijn wij, lieve schat. Die vent is vast betrokken bij de aanslag, en jij hebt samengewoond met een terrorist zonder dat je enig idee had wat er gebeurde.'

Ik ben diep geschokt. 'Hoe kun je dat zo zeker weten?'

'Ik weet niets zeker, maar ik hoef de feiten maar bij elkaar op te tellen. Die vent woont hier een jaar, gaat terug naar

Pamplona, schrijft je brieven zonder afzender en verdwijnt op de dag van de aanslag met achterlating van zijn ticket en een afscheidsbrief met een vage smoes, en jij wilt me vertellen dat dit alles normaal is? Zie je niet dat hier te veel vreemde toevalligheden in zitten?'

Ik zwijg, zonder te weten wat ik moet denken. Zou Guilherme het bij het rechte eind hebben? En als dit waar is, wat is dan de rol van Francisco?

'Guilherme... denk je dat Francisco alleen maar een relatie met me had om dingen uit te vissen over Ricardo?'

'Weet ik veel! Op dit punt weet ik niets meer...'

We zitten allebei zwijgend op de bank met een hoofd vol vraagtekens. Ik probeer mijn redenering aan te passen aan de nieuwe gegevens, maar de dingen die Guilherme heeft opgeworpen komen er bij mij niet in. Dit alles is té absurd om waar te zijn. Ik weiger te geloven dat Ricardo enig verband kan hebben met de aanslag. Maar twee weken geleden weigerde ik ook te geloven dat Francisco voor de SIS werkt en nu weet ik dat dat waar is. En dat hij misschien wel juist daarom achter mij aankwam. En me misschien ook wel daarom de mobiele telefoon gaf. Om te zien of hij zo iets aan de weet kon komen. Ik vraag Guilherme of hij het mogelijk acht dat mijn mobiele telefoon wordt afgeluisterd.

'Natuurlijk is dat mogelijk,' antwoordt hij. 'Als die van hem komt, is dat duidelijk het geval.'

Wat walgelijk. Mijn maag doet pijn, ik heb zin om over te geven, ik voel mijn hoofd duizelen, de schilderijen in de huiskamer beginnen vanzelf te bewegen aan de wanden. Ik breng mijn handen naar mijn gezicht en begin te huilen als een kind wiens hondje is aangereden. Ik weet niet wat ik van deze hele kutzooi moet denken. Ik ben gebruikt door Ricardo en door Francisco en ik heb nooit iets doorgehad. De twee hebben met me geslapen, zijn in mijn huis geweest, hebben deel uitgemaakt van mijn leven en ik heb nooit doorgehad dat ze niet van me hielden, maar alleen iets van me wilden. Ricardo leerde Lissabon goed kennen en wist dat hij kon terugkomen wanneer hij maar wilde, dat hij altijd onderdak had. Francisco gebruikte me om zijn onderzoek toe te spitsen, en toen hij merkte dat hij via mij niets te weten kwam, ging hij ervandoor. Ik klamp me vast aan Guilherme, barst in snikken uit en geef lucht aan mijn verdriet. Guilherme probeert me te troosten, hij zegt dat de dingen misschien niet zo zitten; misschien is Francisco onafhankelijk van zijn onderzoek verliefd op mij geworden, was het een toevalligheid die hem goed uitkwam, maar ik geloof het niet. Zoals ik niets meer geloof van alles wat Ricardo zei in de brief die hij me schreef voor ik naar Kaapverdië ging. Het was gewoon een manier om er zeker van te zijn dat hij naar Lissabon kon komen en in een privé-woning kon logeren, waar hij niet zou kunnen worden opgespoord. Daarom wilde hij niet naar een hotel gaan. Daarom was hij niet boos dat ik niet bleef. Zo had hij meer bewegingsvrijheid.

Het is al bijna tien uur en de steken in mijn maag worden steeds erger.

'Wat jij hebt is honger. Kom, we gaan.'

Ik wil ook weg. Ineens is mijn huis een vreemde en ongastvrije plek geworden waar ik koude rillingen van krijg. Hier heb ik met Ricardo samengewoond, hier heeft Francisco al die nachten geslapen, hier kwam hij achter mijn oude band met Ricardo, hier heeft de dader of medeplichtige van een terroristische aanslag zich verborgen om zijn daad voor te bereiden...

We gaan terug naar zijn huis en terwijl ik lusteloos een wortelsoepje naar binnen lepel, volgen we de nieuwsberichten via radio en tv, maar er is niets nieuws. Ondanks de inspanningen van de reporters hebben ze geen enkel nieuw gegeven over de zaak gevonden. Voor ik in slaap val, na een kalmeringstablet en een kopje melissethee dat Guilherme voor me heeft gezet, schiet me te binnen dat ik Francisco had verteld dat Ricardo in mijn huis zou logeren.

'Guilherme...'

Mijn prins slaapt al bijna en geeft me van onder de lakens een mat en kregelig 'ja' ten antwoord.

'Als Francisco achter Ricardo aan zat, hebben ze hem al opgepakt.'

'Hoezo?'

'Omdat ik hem op Teresa's verjaardag heb verteld dat Ricardo in mijn huis zou verblijven.'

'Naar aanleiding waarvan heb je hem dat verteld?'

'Hij begon me te irriteren en aangezien ik wist dat hij stikjaloers was op Ricardo, wilde ik hem jennen.'

'Zeg, ben jij achterlijk of zo? Snap je dan niet dat je, als alles waar blijkt te zijn, als medeplichtige kunt worden beschouwd vanwege het in je woning herbergen van een terrorist?'

'Hoe dan, ik had toch helemaal geen idee van die shit? Bovendien heb ik hem verteld dat ik die dagen hier bij jou zou blijven...'

'Dat maakt niet uit! Francisco kan niet weten dat jij, wetend van niets, een terrorist onderdak biedt, drie dagen voor een aanslag op de minister van zijn land! Waarom heb je voor één keer niet je mond gehouden?'

Hij is zichtbaar geïrriteerd en zijn slaap is kennelijk over, want hij is opgestaan en loopt in zijn pyjama, wat ongecoördineerd gebarend, door de kamer te ijsberen.

'Zie je dan niet dat Francisco wéét dat ik van niets weet? En jij weet ook niets, we zitten hier met zijn tweeën maar wat te speculeren op basis van een serie conclusies die jij hebt getrokken op basis van je veronderstellingen! Hallo! Niets of niemand heeft ons bevestigd dat Ricardo bij de kwestie betrokken is en medeplichtig is aan de aanslag.'

Guilherme stopt even, komt aan mijn kant van het bed zitten en pakt mijn handen.

'Madalena, ik kan ernaast zitten, maar laat tot je doordringen dat het meest waarschijnlijke is dat ik gelijk heb. Snap je niet dat er te veel toevalligheden in dit hele verhaal zitten? Goed, nu kunnen we beter gaan slapen. Het helpt ook niets als we onszelf hier zitten af te matten met speculaties.'

Meer dan een uur later val ik in slaap. De hele nacht droom ik van Ricardo met een zwarte bivakmuts op op het dak van een flatgebouw en Francisco die in een helikopter boven het hotel cirkelt op zoek naar hem, net een scène uit een Amerikaanse kaskraker waarin de held in de allerlaatste seconde de schurk verslaat. Op straat laat Odete de aangelijnde katten van Elisa uit, en ik volg alles in de hoedanigheid van televisieverslaggever, in een directe satellietuitzending voor CNN. Op zeker moment verschijnen Catarina en Luisa, die me vragen of ik het verjaardagscadeautje voor Teresa al heb gekocht en of ik de *leite creme* niet vergeet...

Ik word van top tot teen doorweekt wakker na de hele nacht te hebben liggen woelen, zodanig dat Guilherme geërgerd in Vera's kamer is gaan slapen om nog wat rust te krijgen. Het is halfnegen en ik zet meteen de radio op het nachtkastje aan, zo'n klein zwart kastje met groene digitale cijfertjes, supermodern en superlelijk, dat de functies van radio, wekker en misschien ook andere die ik nog niet ken, in zich verenigt. Een paar minuten later komt er een overzicht van het nieuws over de aanslag met nieuwe details:

De justitiële politie heeft vanmorgen een van de vermoedelijke daders van de aanslag aangehouden. Twee andere verdachten zijn ontkomen. De arrestant is een eenentwintigjarige student van Baskische afkomst, wiens identiteit niet is bekendgemaakt. Het is alleen bekend dat hij zogenaamd op vakantie in Lissabon was en door ooggetuigen is gezien terwijl hij een gebouw vlak bij het hotel binnenging, waar hij enkele minuten voor de aanslag voor drie dagen een kamer in een pension had gehuurd. De andere twee verdachten, die in Leiria op hem wachtten alvorens via het noorden het land uit te vluchten, zijn waarschijnlijk zonder hem op de vlucht geslagen, aangezien de justitiële politie hem heeft opgepakt op station Santa Apolónia.

De televisiezenders zeggen hetzelfde als de radio en laten herhaalde beelden zien van het ziekenhuis, de ingang van het hotel en nieuwe, maar onbelangrijke beelden van station Santa Apolónia en van het gebied waar de andere twee medeplichtigen zich naar men aanneemt verborgen hebben gehouden. En dan te bedenken dat Ricardo en ik vorig jaar zomer in het Dourogebied hebben gewandeld... Waarschijnlijk was zelfs dat gepland. We doorkruisten de hele streek, van de ene naar de andere kant, en Ricardo noteerde geweldig veel eigenaardigheden in zijn reisboekje. Waarschijnlijk essentiële informatie over wegen, schuilplaatsen en weggetjes waarlangs hij is gevlucht met die andere medeplichtige.

Guilherme heeft onder de douche al een strategie uitgestippeld en geeft me een lift naar de redactie. Hij verzoekt me hem geen vragen te stellen en te doen alsof er niets aan de hand is. Hij maakt me erop attent dat ik mogelijk in de gaten gehouden word en verbiedt me om wie dan ook te bellen over de gebeurtenissen.

'Leid je gewone leventje, ga lunchen met een vriendin, vertel haar niets en ik kom je eind van de middag halen, oké?'

Helemaal niet oké, maar ik kan maar beter doen wat hij zegt. Om twaalf uur houd ik het niet meer uit en ik neem een taxi naar mijn moeders huis. Ik kan nog net binnenkomen en in de kamer gaan zitten voor ik in huilen uitbarst en haar vertel wat er aan de hand is. Er is verder niemand in huis en daar weet ik zeker dat niemand ons hoort. Mijn moeder luistert zwijgend en ze wordt steeds bleker, maar ze behoudt de koelbloedigheid en de sereniteit waar ik zo'n gebrek aan heb. Ze geeft Guilherme in alles gelijk, maar is diep geschokt als ik haar vertel over de verborgen kant van Francisco.

'Dat kan toch niet! Hij leek zo'n correcte jongen, zo keurig! Maar ja, je kent mensen nooit echt, hè, lieverd.'

We slaken beiden een diepe zucht. Ik voel me al een beetje lichter. Mijn moeder is zo gesloten als een boek, ik weet zeker dat ze niets doorvertelt. Het is een geheim dat we beiden zullen bewaren.

Ik neem een taxi terug naar de redactie zonder me er zorgen over te maken of ik al dan niet word gevolgd. Wat maakt mij het uit? Ik heb niets te maken gehad met het hele verhaal, ik heb niets te vrezen. Paulo probeert twee keer mijn kantoor binnen te komen om het volgende nummer te bespreken, maar ik geef hem te verstaan dat ik al wat dingetjes heb verzonnen, maar het vandaag niet kan bespreken omdat ik het artikel over de winkels die dit jaar in de mode zijn voor de kerstinkopen nog moet afmaken. Dat is niet zo, want ik heb het artikel laten schrijven door een freelance-journaliste en hoef het alleen maar te corrigeren, maar Paulo hoeft noch daarvan, noch van de rest iets te weten.

Aan het eind van de middag belt Guilherme en komt hij me afhalen. Hij zit zwijgend achter het stuur en ik heb niet door of hij rustig is of alleen maar zijn nervositeit verbergt achter het ondoorgrondelijke masker van de geboren diplomaat. In plaats van naar huis neemt hij me uit eten in Bairro Alto. Aangezien het dinsdag is en Pap'Açorda gesloten is, kiezen we voor Fidalgo, waar ik de nervositeit van mijn maag tot kalmte breng met een paar heerlijke pasteitjes met zacht deeg.

Ten slotte besluit hij de stilte te verbreken.

'Ik heb al met Francisco gesproken.'

'En?'

'We zijn gaan lunchen. Ik heb hem vanochtend bij de justitiële politie gebeld en toen ik hem voor de lunch uitnodigde zei hij meteen ja.'

Er zit een stuk vlees dwars in mijn keel, maar ik bedwing mijn zenuwen en eet langzaam verder.

'Kom op, draai er niet omheen en vertel me alles.'

'Die Ricardo van jou is me er een! Hij is tot aan zijn nek betrokken bij de ETA. Francisco had zijn dossier al op zijn bureau liggen sinds eind vorig jaar, maar toen hij jou leerde kennen, had hij geen flauw idee dat je met hem had samengewoond. Pas toen hij bij jou thuis kwam en hem herkende op de foto's, raakte hij geïntrigeerd en besloot hij het uit te zoeken.'

'Dus je wilt zeggen dat hij alleen een relatie met mij begon omdat ik Ricardo kende en...'

'Nee, dat lijkt me niet. Het was zo'n toeval dat je onmogelijk kunt voorzien. Ik geloof dat hij echt verliefd op je was. Dat hoorde je in de manier waarop hij over je praatte...'

'Dacht je dan dat hij op een andere manier over me zou praten, wetend dat wij een relatie hebben?'

'Waarom niet? Hij is mij niets verschuldigd! Ik werk niet direct met hem samen, ik heb niets met hem te maken, waarom zou hij me te vriend willen houden? Ons gesprek was heel recht door zee en ik van mijn kant had maar twee doelen: zeker weten of Ricardo betrokken was bij de misdaad en erachter komen of jij werd verdacht van medeplichtigheid. Ik heb de betrokkenheid van Ricardo en jouw onschuld bevestigd gekregen. Volgens Francisco ben je nooit als verdachte beschouwd, hoewel hij onder druk is gezet door andere collega's die met hem samenwerkten in het onderzoeksteam. Francisco heeft altijd ingezien dat jij geen flauw idee had wie Ricardo was, zelfs toen je hem vertelde dat hij in jouw huis zou verblijven.'

'Waarom?'

'Omdat ik hem heb verteld dat ik jou had gezegd dat hij van de SIS was. En als jij wist dat hij bij de SIS zat en dat Ricardo iets te maken had met de ETA, zou je hem nooit hebben verteld dat hij hierheen kwam en waar hij zou logeren, of wel?'

'En hij, geloofde hij je?'

'Natuurlijk! Is het niet zo dat je bij Teresa thuis al wist dat hij voor de inlichtingendienst werkte? En is het niet zo dat je hem op stang wilde jagen omdat je wist dat hij jaloers was op Ricardo, en je hem daarom vertelde dat die bij jou thuis zou komen?'

'Maar waarom heeft hij hem dan niet opgepakt? Hoe heeft hij kunnen ontsnappen?'

'Omdat je hem niet hebt gezegd op welke dag Ricardo zou aankomen, je hebt hem alleen gezegd dat hij in aantocht was. Francisco heeft je huis vierentwintig uur per dag laten bewaken en ze hebben je zien binnenkomen met Ricardo toen hij daar zou slapen, maar de volgende dag hebben ze hem uit het oog verloren, toen de agent die dienst had hem 's ochtends zonder bagage naar buiten zag komen en de pastelaria op de hoek zag binnengaan om te ontbijten. Ze weten niet hoe, maar ze hebben hem niet naar buiten zien komen, en toen zijn ze het spoor kwijtgeraakt.'

'En zijn reistas dan?'

'Waarschijnlijk heeft hij die bij jou thuis achtergelaten maar heb je hem niet gevonden. Of hij heeft hem aan iemand meegegeven die hem midden in de nacht heeft meegenomen. Het staat vast dat hij zonder tas is vertrokken en niet is teruggekomen.'

'Dus daarom heeft Virginia niets gezien en is ze hem niet tegengekomen.'

'Precies. Hij heeft in het weekend waarschijnlijk zomaar ergens geslapen en heeft die ander in Leiria ontmoet om op de derde te wachten, degene die in Lissabon bleef en de aanslag pleegde.'

'Maar hoe kan Francisco zeker weten dat ik er niets mee te maken had?'

'Dat kan hij niet. Maar hij mag je graag en denkt dat als jij er op enigerlei wijze bij betrokken was, dat zonneklaar zou zijn. Laten we zeggen dat hij jou niet verdenkt door onwaarschijnlijkheden weg te strepen. Niets wijst erop dat jij vrijwillig deelnemer bent aan het gebeuren, wat je tot een willoze pion in het schaakspel maakt.'

'Een blinde en doofstomme pion.'

We zijn al klaar met eten en Guilherme betaalt de rekening. Het is zo'n herfstavond die uitnodigt tot een wandeling en we lopen naar het Chiado om onze benen weer van doorbloeding te voorzien. De ruïnes van de Grandes Armazéns moeten nog voor de helft herbouwd worden en de façades die nog rechtop staan lijken uitgeput van het jarenlange wachten op restauratie. Ik zou weleens willen weten waarom alles in dit land zo langzaam gaat...

Ik ben iets kalmer. Al met al ben ik met de schrik vrijgekomen. Guilherme heeft voor volgend weekend al een pousada besproken, hij wil me mee de stad uit nemen. Ik kijk nog een paar keer achterom om te zien of we worden gevolgd, en we sluiten de avond af op het terras van café Brasileira, terwijl Guilherme de mensen aan de andere tafeltjes beschrijft en een fantasierijke, ingewikkelde plot om ze heen verzint van terroristen en geheim agenten die daar allemaal zitten om mij het leven zuur te maken.

VIII

De kerst staat voor de deur en mijn neef Zé Miguel komt al bijna aan uit Seattle. Gelukkig maar, ik heb heimwee naar hem en kan niet wachten om hem over het Baskisch-terroristische incident te vertellen. Een week na de aanslag werd Javier Segovia overgebracht naar een ziekenhuis in Madrid. De journaals hielden erover op, ook al omdat er verder niets bijzonders werd achterhaald. De bij de aanslag betrokken Baskische man die was aangehouden door de justitiële politie, werd overgedragen aan de Spaanse autoriteiten en de televisiejournaals vulden zich met andere berichten die de aandacht van het publiek afleidden. Beetje bij beetje vergat ik de hele geschiedenis en langzaam hervond ik mijn slaap en mijn rust. Ik besloot mijn oude woning te verkopen. Een koper had ik al. Ik weet nog niet wat ik dan ga doen. Ik zou een ander huis moeten kopen, maar Guilherme heeft me gevraagd om bij hem in te trekken en ik heb het gevoel dat ik een gezin heb. Vera slaapt daar eens per week, van donderdag op vrijdag, en brengt haast alle weekends met ons door. Anders dan verwacht, heb ik me aangepast aan dit nieuwe leven en kan ik het uitstekend vinden met het meisje. Ze is intelligent, gezeglijk, praatgraag: uitstekend gezelschap. Vader en dochter hebben nog steeds hun eigen activiteiten, zoals uitstapjes en bioscoopbezoek, en ik gebruik die momenten om bij mijn vriendinnen te zijn en mijn broers en zussen en neefjes en nichtjes te bezoeken. Beetje bij beetje is mijn leven in een routine geraakt die ik prettig vind vanwege de zekerheid en stabiliteit. Het geeft me rust en een comfort dat ik, voel ik nu, nooit in mijn leven heb gehad. Guilherme en Vera maken deel uit van mijn leven en ik van het hunne. We hebben het met z'n tweeën net zo fijn als wanneer zij erbij is. Misschien heeft het feit dat haar vader haar in alle oprechtheid heeft uitgelegd dat hij heel veel van mij houdt en haar toestemming heeft gevraagd om mij bij hem te laten wonen, haar geholpen om mij zo goed te accepteren. Ik ben al met haar uit winkelen geweest en ze heeft me geholpen om kleding uit te kiezen. Daarna zijn we naar McDonald's geweest, wat ze geweldig vond omdat Guilherme altijd weigert daarheen te gaan met haar. Aangezien wij tweeën het heerlijk vonden, hebben we afgesproken dat dit ons geheimpje is en we het tegen niemand zeggen.

Luisa houdt haar romance met Eduardo nog steeds vol, tot grote verbazing van ons allen, en Bernardo heeft me uitgenodigd om met hem te gaan lunchen en vrede te sluiten. Hij verzekerde me dat het echt helemaal afgelopen was met Odete, en deze keer geloofde ik hem, want ik zie haar de laatste tijd met hangende pootjes rondlopen, klagend dat ze er genoeg van heeft in Lissabon te werken en dat ze misschien haar tante gaat helpen bij het openen van een andere kapsalon, deze keer in Laranjeiro. Bovendien belde Catarina me gisteren met de vraag of ik peettante wilde worden.

'Hoezo peettante?' vroeg ik niet-begrijpend.

'Ik ben weer zwanger!'

We spraken af nog voor de feestdagen bij elkaar te komen om bij te kletsen, maar ik hoorde in haar stem al een immense blijdschap, dus het ziet ernaar uit dat haar huwelijk opnieuw de storm heeft doorstaan en geheel is hersteld. Ik snap niet waar ze de gezondheid en energie vandaan haalt voor nog een kind, maar Catarina heeft altijd een meisje gewild en misschien lukt het deze keer. Mariana is nog steeds met Georgy, Teresa en João zijn nog steeds bij elkaar en mijn vriend Antonio verzamelt nog steeds vriendinnetjes, of, zoals hij het zegt, veel poëtischer maar ook veel reëler: hij accumuleert affecties.

Comendador Machado Rocha gaat een bank oprichten en hij heeft me uitgenodigd om hoofd pr te worden van het nieuwe project. Ik aarzel nog, maar zoals Guilherme zegt: 'Je hebt niets te verliezen; je komt daar beslist verder dan wanneer je bij het tijdschrift doorgaat met het maken van domme interviews met domme lieden,' en ik ben bijna zover de uitnodiging te aanvaarden. Comendador Rocha nodigde me uit voor een lunch in Belcanto, waar het bedienend personeel minstens honderd is en jasjes draagt in zo'n mosterdkleurtje dat in geen enkel kleurenboek te vinden is. Hij zei dat hij de nieuwe bank een jong en sober imago wilde geven en in mij de geknipte persoon zag om de nieuwe generatie te vertegenwoordigen die hij als doelgroep voor ogen heeft. Ik heb nog geprobeerd hem uit te leggen dat ik niet genoeg geduld heb om pr te doen, maar hij haalt me over met een fantastisch salarisbod en de mogelijkheid van flexibele werktijden. Ik hoef hem niet meteen antwoord te geven, want het project zal pas na de zomer officieel van start gaan, dus dat geeft me de tijd om alles rustig te plannen.

Ricardo is nog steeds voortvluchtig, ergens ter wereld ondergedoken, volgens de laatste informatie die Guilherme van Francisco kreeg tijdens een lunch op het ministerie waar ze elkaar tegenkwamen. Ik heb Francisco niet meer gezien en ik hoef hem ook niet zo gauw te zien, ondanks de manier waarop hij tijdens het hele gebeuren met me is omgegaan. Hij had me kunnen offeren, hij had me de zwartepiet kunnen toespelen, maar in plaats daarvan heeft hij in me geloofd en me voor ondervragingen gespaard door me helemaal buiten het proces te houden. Ik weet dat hij af en toe met Luisa gaat lunchen en mijn intuïtie zegt me dat die etentjes niet geheel onschuldig zijn, maar dat doet me niets. Voor het eerst in jaren doe ik mijn kerstinkopen ruim op tijd, ik versier met Vera de kerstboom als verrassing voor Guilherme en verhuis beetje bij beetje mijn spulletjes naar ons huis, rustig en geleidelijk aan zodat Guilherme niet vreemd opkijkt van de veranderingen. Ik hou van mijn nieuwe leven, van het hebben van een gezin, zelfs al heb ik zelf nog geen kinderen; van de wetenschap dat als ik 's avonds thuiskom, de man van wie ik hou met een glimlach vol verstandhouding op me zit te wachten om bij kaarslicht te gaan eten en in het gezelschap van Ella Fitzgerald, Count Basie of Eric Satie een blowtje te roken. We luisteren nog steeds graag naar Billie, intussen hand in hand ieder ons eigen boek lezend, net als twaalf jaar geleden, op hetzelfde terras dat nu een van onze toevluchtsoorden is. Verleden weekend zijn we in de Alentejo gaan kijken naar een huis vlak bij een stuwdam dat Guilherme wil kopen voor de weekends. We gaan het inrichten met de meubels die ik nog in mijn woning in Bairro Alto heb staan en andere spullen die Guilherme wil vervangen in het huis in Lissabon. Er moet nog het een en ander aan worden gedaan, maar wat zal het heerlijk zijn om dat stukje vergeten paradijs diep in de Alentejo op te knappen, waar het dichtstbijzijnde huis op meer dan vijf kilometer afstand ligt en waar elektriciteit, water en telefoon net zijn gearriveerd.

Het leven smaakt me weer uitstekend, ik leef in vrede met mezelf en met de wereld. Guilherme heeft me veel meer gegeven dan ik verwachtte, hij heeft me rijper gemaakt, me vanbinnen georganiseerd. Hij heeft nieuwe interesses en verlangens in me gewekt, heeft me geleerd om rustig te leven en mijn onzekerheden te overwinnen. Met hem aan mijn zijde voel ik dat ik een beter mens begin te worden, consistenter en uitgebalanceerder, minder vaag en inconsequent, zelfverzekerder en meer overtuigd van mijn ideeën. Toen ik dat allemaal aan Luisa vertelde, lachte ze en zei dat ik in dierengedaante een hond zou zijn, des te gelukkiger naarmate hij trouwer is aan zijn baasje. We lagen dubbel en ik sprak haar niet tegen. Het zal wel kloppen ook. In mijn familie hebben de

vrouwen altijd een hondse toewijding aan hun mannen gehad, waarom zou ik dat gen niet ook hebben geërfd? 'Als jij zo
gelukkig bent, ga lekker je gang. Ik ben precies omgekeerd, ik
heb ze graag aan het lijntje,' besloot mijn favoriete Mata Hari.
We zaten met zijn allen bij Mariana – die Georgy met João en
Bernardo naar voetbal had gestuurd – rond de keukentafel
een onvermijdelijke pasta met kaas en champignons te eten
die Teresa vakkundig en geïnspireerd in minder dan twintig
minuten had bereid. Zij is afgeslankt en beter gehumeurd. Ze
heeft een parttime baantje versierd in de interieurwinkel van
een nicht van Catarina, en aangezien ze slechts van drie tot zeven uur werkt en de hele middag bekenden tegenkomt, is haar
chagrijnige karakter wat opgeklaard, met behoud van de kritische blik en sarcastische instelling die zo bij haar horen. We
hebben allemaal een roze kledingstukje voor de baby gekocht,
die we vlak voor de kerst aan Catarina cadeau doen in het vergeefse, dromerige verlangen het geslacht van het ongeboren
kind te beïnvloeden.

'Een dezer dagen ben ík degene die sokjes en luiers zit te
maken,' laat ik tegen het eind van de maaltijd vallen, zodat enkele aanwezigen zich verslikken.

'Je gaat me toch niet vertellen dat je zwanger bent!'

'Nog niet, nog niet. Maar we mikken er wel op, en Guilherme is niet scheel...'

'Grappenmaakster! Mogelijk is hij wel scheel aan zijn peri-
scoop,' zegt Teresa scherp.

'Ik heb er al heel wat naast zien schieten,' haakt Luisa erop
in, klaar voor een uiteenzetting van twijfelachtige smaak omtrent het opgeroepen, doch niet gedagvaarde lid.

Gelukkig maant Catarina ons tot fatsoen door erop te wij-
zen dat er een minderjarige in de keuken is. We besluiten de
avond vroeg, want de zwangere vrouw is erg slaperig en haar
gegeeuw is bijzonder aanstekelijk.

Het is donderdag en Guilherme is uit eten geweest met Verinha. Hij is al thuis als ik aankom. Zoals altijd zit hij in de huiskamer naar muziek te luisteren en een boek te lezen, blootsvoets en in boxershort, hoewel het december is. Ik vlij me zoals gewoonlijk aan zijn voeten, en ik hoor opnieuw Luisa's stem, orerend over mijn hondse toewijding.

'En, heb je je vermaakt met die maffe vriendinnen van je?' vraagt hij met een verrukkelijke glimlach.

'Ik vind het zo heerlijk om thuis te komen en je zo rustig een boek te zien zitten lezen, als iemand die niet op me zit te wachten.'

'Dat zit ik ook niet... hoe laat is het trouwens?'

'Bijna twaalf uur.'

'Kom op dan. Laten we gaan slapen.'

En we slapen zo vast als de figuurtjes van de kerststal die stil op hun plekje staan onder de kerstboom.

EPILOOG

Op 27 december ontvang ik per post een pakketje: een met noppenfolie gevoerde grauwe envelop. Nieuwsgierig maak ik hem open en mijn handen beginnen te trillen. Het is mijn filofax. Intact, helemaal heel, geen schrammetje. Ik kijk of er pagina's ontbreken. Niet één. Alles zit erin, zelfs de dingen die ik al bijna vergeten was: foto's van Ricardo en van mijn neefjes en nichtjes, gebruikte en ongebruikte metrokaartjes, bonnen van etentjes en kleding. In dezelfde envelop zit ook mijn tasje met alle documenten: identiteitskaart, rijbewijs, belastingnummer, cheques, alles keurig netjes, alsof niemand eraan heeft gezeten.

Een kaartje van Francisco valt uit de envelop.

Lieve Madalena, sorry dat ik je dit nu pas terugstuur, maar het kon pas na afsluiting van het proces. Ik vind het vervelend dat ik je zo overstuur heb gemaakt. Ik zou graag willen dat je gelooft dat ik het voor jouw bestwil heb gedaan, omdat ik niet wist wat de aard was van je betrekkingen met Ricardo en je wilde beschermen. Wees alsjeblieft niet boos op me. Liefs, F.

Ik had niet gedacht dat zoiets me ooit nog eens zou overkomen, maar een mens moet altijd overal op voorbereid zijn. Francisco was dus degene die me door een van zijn mannetjes heeft laten beroven van mijn filofax, om te zien of hij informatie over Ricardo kon achterhalen, zeker. Wat een klootzak! Ik weet niet waarom ik niet op mijn instinct vertrouwde toen ik hem leerde kennen en meteen dat uitgekookte air van hem doorzag. Ik was kwetsbaar in die tijd, ik had behoefte aan gezelschap en aandacht. Is dat immers niet wat we allemaal willen?

Ik kan de verleiding niet weerstaan de telefoon te pakken en hem op zijn mobiel te bellen.

'Gelukkig kerstfeest,' zegt de gebruikelijke brutale stem. 'Blij met je cadeautje?'

'Hoor eens hier, jij godvergeten klootzak, waarom heb je me nooit gezegd dat je mijn filofax had gestolen?'

'Omdat je het me nooit hebt gevraagd.'

Lissabon, 25 juni 1998

– SIRENE LEESTIP –

Margarida Rebelo Pinto
EÉN MAN IS GEEN MAN

Vera houdt van geen enkele man en heeft er daarom meerdere. Ze heeft een onverwerkte relatie met João achter de rug, een gelegenheidsvriendje dat Tiago heet, en ze heeft Luís, een oudere minnaar met wie ze heerlijke momenten beleeft.
Als Vera op die ene bewuste dag niet naar Porto was gegaan, had ze nooit Manel ontmoet, op wie ze halsoverkop verliefd wordt. Maar de wereld is klein, want Manel blijkt bevriend te zijn met haar beste maatje Afonso en draagt een geheim met zich mee dat João al jaren probeert te achterhalen. Schaamteloos zet hij Vera in om erachter te komen hoe de zaken in elkaar steken. De toch al stormachtige verhouding tussen Vera en Manel komt onder grote druk te staan.
Eén man is geen man is een hilarisch verhaal over de liefde, waarin vriendschap een factor van onschatbare waarde blijkt te zijn.

De prachtige steden Lissabon en Porto vormen de achtergrond voor deze vermakelijke roman over de herkenbare situatie van de onafhankelijke carrièrevrouw die haar beroepsleven op orde heeft, maar in haar privéleven maar wat aanmoddert.

'Een portret waarin elke Cosmogirl zich herkent' *Cosmopolitan*

Margarida Rebelo Pinto (Portugal, 1965) is moeder van een zoon, zwemt drie kilometer per week en gaat nergens heen zonder haar zwarte notitieboekje. In Portugal zijn inmiddels bijna een miljoen exemplaren van haar roman verkocht.

ISBN 90 5831 246 1
Paperback € 16,95